上海にて

堀田善衛

集英社文庫

目次

II

III

上海にて

はじめに

私は運命ということばが嫌いだった。宿命ということばも嫌いであった。いまも、むろん嫌いである。けれども、私は、自分のこれまでの生涯のことを考え、そこに位置を占めている中国というものを照らし出してみるとき、そのことば、その概念とたたかいつつも、そこに存在する一つのものに対して、運命ということばを与えていいと思うようになる。

それは、事実としてはまったくの短時日にすぎず、その地点も、ほとんど上海という一カ所に限られていた。中国、などという大きなことばで言うべきではない。一九四五年三月二十四日から、一九四六年十二月二十八日まで、一年九カ月ほどの上海での生活は、私の、特に戦後の生き方そのものに決定的なものをもたらしてしまった。もとより文学の仕事を一生の仕事に、とはそれ以前から思い定めていた。けれども、そこへ、中国と日本という、まったく思いもかけなかったものが入って来た。私は、戸惑った。いまだに戸惑いから脱しきれたとは言えない。もし脱け出し得ているとしたら、こんなぶざまなものではなくて、もう少しすっきりしたものが書けたかもしれない。かてて加えて、今日の日本と中国との、関係の仕方が、ある。

日本と中国とか、中国と日本とかということがらが、作家として立つことのなかでの、私なりの重い内在的な問題になるなどということを、一九四七年一月四日に、引揚船で帰国し、佐世保に上陸したときには、私はそれほどのこととしては考えていなかった。それが、日がたち、年がたつごとに重さをまし、一九五六年冬にインドへ行き、更に一九五七年秋に、中野重治、井上靖、本多秋五、山本健吉、十返《とがえり》肇《はじめ》、多田《ただ》裕計《ゆうけい》などの人々とともに、招かれて中国への旅をしたときに、いやおうなくその重さを私は自分のうちがわのこととして確認させせられた。

元来、こんなようなことは、小説家としてはなるべく御免を蒙っておいた方が無難であり、ガサも大きく、歴史的に文献をあさりだしたら、それはもう汗牛《かんぎゅう》充棟《じゅうとう》どころではなく、キリもない、やりきれぬような、厄介限りもない代物である。事実、私は何度も、中国とのことを自分の問題として書いたりするのは、これでやめにしたい、と考えた。おれがそういうことをやるなどというのは土台、不遜である、とも考えた。拙作で言えば、「断層」、「歴史」、「時間」等々の作は、そのいずれを書くについても、これはもうこれでおしまいにしたい、と思いつつ書いて来たものであった。その裏側には、こんなややこしいものを背負い込んでいたのでは、いつまでたってもある完成度に達した仕事は出来やしないではないか、という気持があった。がしかし、いまでは、そうは思っていない。つまり、日本と中国、中国と日本という、そういうようなことが、なにか文学とか芸術とかというものと関係があるものかね、という問い方に対しては、あるものかないものか、そんなことはおれの知ったことではない、おれにあってこれがこうなっている、と言うよりほかに私には言い方がないのだ。日本と中国との、歴史的な、また未来における、そのかかわりあい方というものは、単に国際問題などというよそよそしい、外在的なものではなくて、それは国内問題、というより、われわれ一人一人の、内心の、内在的な問題であると私は考えている。われわれの文化自体の歴史、いやむかしむかしからの歴史そのものでさえあるであろう。そうして、内在的な問題というものは、問題と称されるさまざまのものやことのなかでも、結局のところ、もっとも攻撃的な性格をもっているものであった。

　私に一つの危機の予感がある。今日の両国の関係の仕方は、遠からぬ未来において、今日ではちょっと想像出来ないようなかたちの危機をもたらすのではないか。国交恢復《かいふく》は決定的に重大である。そのことは、われわれの国の真の独立ということとかかわりがあり、従って、われわれの倫理道徳ともかかわりがある。しかし、国交が恢復されればすべてよろしというようなことがあるわけもなく、私が予感するものは、むしろ国交恢復以後について、である。恢復以後の、両国の反応の仕方、あるいは爾後《じご》の反動についてである。現代における両国のあり方の、基本的な差異は、いろいろあるにはあるが、体制の違いだけではなくて、双方の国民の内心の構造の違いから来るものは、もっとも本質的で、直接接渉のはじまったときのことを、私たちは今日から既に予想し、見詰めていなければならないであろう。

国交恢復も容易なことでないであろう。そうして、国交恢復以後も容易なことではないであろう。

この小著は、私のこれまでに書いた、まとまりのないもののなかでも、もっともまとまりのないものである。まとまりをつけようと努力をした。が、それをとげることが出来なかった。その理由は、言うまでもなく私自身にあるのだが、私は私で、その理由をめぐって、これからも考えて行かねばならない。

せめて、と思って、かつて生活したことのある上海にすべてを限定した。

一九五九年六月

著　者

上海にて

Ⅰ

回想・特務機関

一九五七年十一月十日、汽車が南京を過ぎ、日が次第に暮れて行った。コンパートメント式の寝台車の同室者は、中野重治、本多秋五、多田裕計、それに私の四人であった。となりのコンパートメントには、山本健吉、井上靖、十返肇の三人がいた。日はとっぷりと暮れ、上海まであと二十分。荷物の整理を終えて、四人ともぼんやりしていた。私は、かつて上海にいたときのことを、漠然と、ぼんやりと、考えていた。思い耽《ふけ》っていた。漠然とものの筋道を追って考えるというのではなくて、ただ、あれやこれやと思い耽っているとき、どうやら人はとんでもないことを思い出す。

＊

一九四六年の秋、私は中国国民党の宣伝部に留用されていた。思い出は主としてそのことにかかわっていた。

……その頃、同じ宣伝部の宿舎にいた中国人の青年が、夜中に、突然マラリアと覚しい高熱に苦しみ出し、

「握姆納丁《オムナディン》というバイエルの薬があるといいんだがなあ」

と私にいった。

当時、この宣伝部は、笠松大薬房という、もと日本人経営になる薬の卸問屋の店を接収したところに事務所をもち、その奥の封印された部屋には、いろいろな薬品がいっぱいつまっていた。いや、つまっているということになっていた。私は、その中国人同僚に、よし、さがして来てやる、といって宿舎の守衛に鍵を出させ、夜半の上海の町を歩いて行った。当時、上海はほとんど戒厳状態であった。機関の証明書はもっているものの、銃剣つきの鉄砲をかついだ巡邏《じゅんら》兵《へい》の一隊につかまると、とにかくうるさいことになり、いったん、警備司令部なり、憲兵司令部なりにとっつかまると、無実であろうがなんだろうが、軍、憲、警、党の、この四つが何重にもかさなりこんぐらかった迷路をかきわけて出て来ることは、まったく容易なことではなかった。それに、もし当の軍、憲、警、党のうちのどいつかが、この男は金になる、と見込んだり、あるいは、この男にウソでもなんでも他の中国人または日本人の悪口をいわせて、その悪口をいわれた方の男

をしぼったら金か物かが出るかもしれない、などと見込まれたりしたら、どういう罪を、罪名をでっちあげられるか、とにかくしれたものではなかった。そういう例がいくつかあった。それに、半戒厳状態をつくり上げている軍警の機関や司令部は、いったいどのくらいあるものか、その数は、かぞえきれないくらいあって、一つ一つの次元には横の連絡も縦の指揮系統も、いったいどういうことになっているか、見当がつかなかった。戒厳担当者自体にもその見当がついていないということを、私はある人から聞いて知っていたのだが、とにかくこの戒厳機関系統の、どの一つの蜘蛛の巣にひっかかっても、もうおしまいなのである。そういうことについては、呆れてみても怒ってみてもはじまらない。ひっかからぬように気をつけるより他に法はないのである。気をつけていても、しかし、向うがひっかける気であれば、それはもうそっと逃げ出すより他に法もへったくれもなにもあったものではない。秩序維持のため、ということになっている機関がありすぎて、逆に恐怖状態がつくり出されていた。だから、当時すでに郭沫若や茅盾などの文学者民主人士は、香港へ逃亡してしまっていた。

私は、銃剣をかついだ一隊が見えると、横丁の暗闇にかくれ、やりすごしてからまた歩き出して宣伝部の事務所へ近づいて行った。

事務所の前まで来て、私は驚いてしまった。夜半十二時過ぎだというのに、事務所には電灯の火が煌々とついているのだ。ドアーのところに、おそるおそる近づいて行くと、なかから抜身のばかでかい拳銃をもったギャング風の男が出て来た。ギャングが入っているのか、と私は思った。

　呼びとめられた。これはえらいことになったぞ、と思い、ギョッとした。ところが男は私を認めて、にやり、と笑い、

「ああ、あなたは日本人留用員の方ですね」

　と割に丁寧な口調で、しかしどこだか知らぬが奥地らしいなまりの強い北京語で言い、ついで、しかし、いまごろ何をしにここへ来ましたか、と問うた。それは至極当然な疑問であると思ったので、私は友人の急病と薬の件を話した。話しているうちに、私はこの若い男を見たことがあることを思い出した。二十七八歳の、当時の私とほぼ同年くらいのこの男は、一月ほど前に、この宣伝部の事務所へやって来たことがあって、主任委員と何かを高声で議論をし、早々に引き揚げて行った、眼の鋭い男であった。けれどもそのとき、私は一言もこの男とことばをかわした覚えはない。ただ私は、私の机の前を彼が過ぎて行ったとき、当時の中国人が大好きだった藤色中間色の、アメリカ製ギャバジンの背広服のその下に、尻のところに、小さな拳銃を、革のサックに入れてぶら下げているのをちらりと認めた。そして、ああ、この事務所へやって来る奴は、どいつもこ

いつもロクな奴ではないぞ、と思ったのを覚えていた。そして彼が帰ってしまうと、いま高熱を出して唸っている青年が、私の耳に口を寄せて囁《ささや》いた。

「いまにきっと一騒動起りますよ。いまのあの若い男は、調査統計局のキレ者なんですから」

といったものだった。そして、私はぞっとした。

何故ぞっとしたか。ぞっとしたについては理由があるのである。国民党の調査統計局といえば――調査統計局といえば無害どころか、極めて有用にして必要なところと誰でも思うにきまっているが、その実は、調査統計どころか、これはもっとも怖ろしい政治警察、数ある秘密警察のなかでももっとも怖るべき存在であって、その親玉である戴笠という蔣介石の腹心は、日本流にいえば『泣く子もだまる戴笠』という風に、それの中国流のいいあらわし方を私は忘れてしまったが、この男に『調査統計』されてしまったら、それはもうその人は殺されるか死ぬか、要するにもうおしまいだということに決まったものなのだ、と何度も何度も私は機関の人々からくりかえし聞かされていた。魯迅がそのために「忘却のための記念」を書いた青年文学者の柔石をはじめとする五人の文学者や三十五人の同犯（うち七人は女性）が一九三一年二月七日に殺されたのも、また戦後になってから昆明で聞一多、李公樸などの教授が暗殺されたのも、特務の手によるものであった。中国共産党による解放後に、中国政府が国民党の特務に対して、特にきびしい態度をもって臨んだことに理由がないわけではないのである。ところで、この特務の親玉であった戴笠は、その年の春に飛行機事故で死んでいたが、知識人のなかにもその死は事故死ではなかろうと言う人も少なくなく、謡言《ようげん》もまた多かった。ということは、この機関の影がいかに暗く、特に知識人の上に投げかけられていたかを証明するものであろう。郭沫若、茅盾などの文学者民主人士の香港逃避は、それと無関係ではなかった。しかし、特務というものにも、いろいろさまざまな系統のものがいて、入り乱れているということばがあたるらしい様子であったが、それでも、なかでもこの調査統計局は極端に怖れられていて、特務中の特務、テロ中のテロということになっていた。しかも、戴笠は、同時に中美合作社（SACO：Sino-American Co-operative Group）という、アメリカの特務機関であるOSS（Office of Strategic Services）との合作機関の主要メンバーでもあったから、調査統計局は二つの特務権力を一手に握っていて、左翼や進歩分子であろうがなかろうが、それはもう、いまこれを書いていて、私自身、いまにしてなお肌や背筋が寒くなり脇腹が冷たくなって来るようなものであった。彼等の行動も、その調査も統計も、すべて秘密であって、調査統計の結果が発表されたなどというはなしは聞いたことがない。調査統計の結果の処分もまた一切秘密であった。

私は、しかし、私に近いうちに一騒動ありますよ、と警告してくれた青年の話とは別に、恐らく一騒動も二騒動もあるだろうとは、別の筋から予想をしていたのであった。それは、この中美合作社（SACO）なるものと密接な連絡をもっていると称しているある種の、旧日本特務機関にいたらしい日本人たちが、この宣伝部の日本人留用者として近頃入り込んで来ている、名義だけの留用者としての資格をとっているということを知っていたからであった。特務のことを別にしては、戦中戦後の国民党についてはそのほんの一端についてでも語ることは、恐らく不可能であろう。

もちろん私は、それらの秘密機関のことを詳しく知る立場になかったことは、これはもう言う必要もなかろう。けれども、戦時及び戦後における、外国軍隊との〝協力〟とか、あるいはまたわれわれ日本人が経験した〝占領〟というものが行われるについて、そこにどういう秘密機関、あるいは特務機関が発生し、その機関がどういうことをやるか、あるいはやったか、たとえば鹿地亘《かじわたる》事件などというものが発生するについての背景になるものなどについて、たとえうっすらとでも承知することは、われわれの現代史というものを了解する上に役立たぬこともなかろうと思うので、マラリアで苦しんでいる友人には、ここでしばらく我慢してもらい、出し抜けではあるが、次にイスラエル・エプスティンというアメリカ人の著書から少々訳しておこう。（"The Unfinished Revolution in China" Israel Epstein, Boston, 1947)

「(戦時中、重慶に来たことのあるアメリカ人のなかでは）ヘンリー・ウォーレスは、中国の諸政治勢力の協力のためのアメリカの努力のなかでは、先ずリベラルな派を代表し、実業家のドナルド・ネルソンは中道派であった。けれども、最右翼には投機的な一群がいた。この連中ははじめから悪臭を放っていたのであって、何年かたてばアメリカ人はこの連中について恐らく恥しく思わねばならなくなるであろう、と信じる。それは、SACO（中美合作社）という代物で、これのアメリカ側の責任者は、米国海軍情報部のミルトン・マイルズであった。はじめは OSS（米軍の謀略機関）の中国部門と協力していたが後にこれからはなれた。この SACO は、本来日本軍の戦線に浸透し、情報を集め、敵の船舶の動きを報告する海岸監視の組織をつくり、将来の米軍上陸の準備をするのが任務であった。これらの活動は、勿論正当かつ必要なものであった。ところで、SACO の悪い面、それはその組織にあったのであり、後にすっかり邪道にみちびかれてしまったのであるが、ミルトン・マイルズを名目的な代表とするこの機関の最高指揮官は、国民党のゲスタポの嫌われぬいたヒムラーであり、中国人の生活のなかの何であれ進歩的なものの虐殺者であり、また日本側へ送り込まれた、二股膏薬どもの親分である戴笠であった。

戴笠の仕事は多くの部門をもっていて、そのなかには蒋介石の軍事情報主任という面もあったのであるから、部分的な、技術的協力は避けられなかったであろう。けれども SACO は、この埒をはるかに越してしまったように見えた。戴笠は、ヒマラヤ山脈を越えて送り込まれて来たアメリカの武器を、新四軍（中国共産党軍）やその他の游撃隊を叩き潰すために、勝手に使いはじめてしまったのだ。マイルズの部下たちは、戴笠の政治的な悪評をかばおうとした。その努力の一例が雑誌コリアーに出た賞讃の記事なのだが、しかしコリアーといえども、戴笠が SACO のアメリカ人たちの行く先々で女の世話をしてやったというところでは、考え込まざるをえなかった。これは軍規の問題というよりは、むしろ軍機についてのスキャンダルであった。何故なら戴笠の女たちは、彼の勢力伸長と情報蒐集のための訓練をうけていたのである。

なかでも最悪なのは、重慶ではもう公然たることであったが、SACO と戴笠とでは、彼等の眼から見て〝政治的に信用し難い〟中国人やアメリカ人についての情報が交換されていたことである。このなかには、公務上、また個人的にも、公正な連合戦線がこの国のためによいと信じて、中国人の進歩派とつきあっていた、アメリカの役人たちも含まれていた。戴笠は、要するに連合戦線が成立して国民政府の権力独占が一インチでも減ったら、その秘密警察組織は必ず追放されるとして、必死になって戦ったのであった。かくて彼がアメリカ側から得た情報は、恐らくスティルウェル将軍とルーズヴェルトによってひかれた米国の政策が誤って行われるようにもって行くのに大いに貢献したことであろう。」

戴笠とその機関が、戦時中、対敵貿易の衝にあったこともまた、別にエプスティンに教えてもらわなかったとしても、当時上海にいた日本人にとっても、公然の秘密であった。対敵貿易、すなわち戦時中の重慶政府の日本との貿易であり、日本側でその衝にあったものもまた特務機関であった。読者は、日本の旧特務機関関係者が、現在の台湾の要人たちと親しいのを別に不思議に思わなくなるであろう。戦争というものは、それを押し進める上層部、あるいは中枢部へ入って行けば行くほど、これがいったい数百万の人民が死に傷つき殺し合っている戦争というものなのだろうか、と眼をぱちくりしなければならぬような様相を呈する。また、占領下の日本において、占領軍の中にいたリベラルな考えのアメリカ人たちが、次第に追放されて行ったことについて思案をしてみようという人々にとっても、軍事機関というものがついにどういう傾きをもつにいたるかをきわめることが先ず第一の必要であろう。戦時中の日本側特務機関の主宰者が、今日アメリカ側の特殊機関と結びついているということは、きわめてありそうなことである。

さて、長々と横道へそれてしまった。マラリアで苦しんでいる友人のところへ戻ろう。

男は、ひと目見て日本の憲兵がもっていた十四年式とわかる大きなピストルを上着のポケットにねじこみ、銃把がはみ出しているのもかまわずに、私にいった。

「薬ですか、困りましたね。ここの在庫品の全部を先刻からひき出して登録してしまったのです。薬品はなにぶんにも金目のものですからね」

と言い、とにかくいちど中へ入れ、と私をうながした。

入ってみて、私は二度びっくりした。夜半近いというのに、この機関の主要なメンバーがみなそろっているのにもおどろいたが、それより以上に、机をぜんぶ片づけてしまった事務所の広い板敷の部屋に、天井までとどかんばかりに、実に種々様々、人間の、いや一目見てわかることなのだが、上海にいた日本人の生活に附属していた、ほとんどあらゆるものが、山とつみあげてあったのに眼を奪われた。日本蚊帳の山、汚れた着物やハカマやシャツ、シュミーズの山、靴の山、フトンの山、鍋、釜の山……。この役所の工作のために必要か、と思われたものは、どこかの喫茶店から押収してきたらしい、日本の流行唄レコード一山くらいのものであった。

それらのものは、引揚げて行った日本人から没収したか、あるいは家屋を接収するについて遺留されていた品々をあつめたものであった。私は、このときほどにどぎつい印象をうけたことがなかった。

ピストルをもった青年は、ここの連中は宣伝どころか発財《ファツァイ》（金儲け）に狂奔していただけです、と語った。

それが目的であった薬品、握姆納丁《オムナディン》はなくて、烏而卡登《ウルカトレン》というバイエルの薬があったので、動顚したあわてものの私は何に効く薬かもたしかめないで、それをもって帰った。熱でうめいていた青年は、この烏而卡登《ウルカトレン》という薬のビンを一目見て怒り出してしまった。薬は、マラリアどころか、性病、軟性下疳用の薬であったのだ。

そのあくる朝、医者が来たのを見届けてから私が事務所へ出ると、事務所の広間には、例のぼろ屑の山がつみあげてあった。山は昨夜のときよりも、もっと大きくなっていた。

それを見て、そのどぎつい印象をどうにも始末しかね、私はしばらく後に次のような詩めいたものを書いたことがある。

ある中華民国の役所にて

そはもののしき看板のぶらさがれる役所なりき
入りてみれば、かなたには汚れたる日本蚊帳の山
こなたには垢じみたる着物の山、本の山

軍用乾パンの山、米の山、味噌樽の山。

こは何事ぞと問へば、食糧を除きては
悉《ことごと》く引揚げ日本人より没収せるものなりといふ
余は親しく破れたる蚊帳、赤き女物などを眺め
ひそかに落涙を禁じえざりき。

試みに花模様のよれよれ着物を手にとりてみる
此を着たりし大和撫子、いま何処にありや
はたまた洗ひ晒したる白きスカート、破れ靴
よくぞかかるものまで没収したるものかな。

こはすべて在華邦人の涙の滲みたる「財産」なり
或はまた中華民族の涙の滲みたる「財産」ならんか
「侵略者」の烙印を押されて去りゆくもの……
「勝利者」の名に於て没収するもの……。

今の京滬はすべてかくの如し、荒涼たる風景なる哉
物欲しげなる役人諸賢は、早や
あさましき眼よりあやしき光りを発し
そろそろとあちら返しこちら返し物漁りなり。

もの取るは悪しからず、所詮は没収品なれば
床にころがり出たる手套の片はし、シュミーズ
やや年老いてこの機関の主なる人あらはれて
よきものあらば取れよ、と余にいふ。

悲しき着物、悲しき靴、悲しきシャーツに袴《はかま》
それらはすべて眼のひかりたる役人諸賢にまかせなん、彼らまた
抗戦の後に来れる内戦に苦しめるなり、主任再び
こは不正なる手段によりて得られし品々なり君取れよ、といふ。

役人諸賢は既にして新聞紙にて封装を終り
おのが名をその上に記し、汝は何を余はこれをと話し合ふ
主任は余の黙然たるを見て、これを君の日本の赤ちゃんに、と
小さく可愛らしき靴をもち来たる。

余はいふに言葉なく手を振れるも、ふと
この靴の来歴をいつの日か吾子に話さんと思ひ立ち
これを受く、惨憺《さんたん》として無慙《むざん》なる光景なる哉
道に出て烈しき秋の光りを浴びれば涙流れてせきあへず。

それはこういう「余は」などと称することばづかいで、こんな詩のようなものでも書かなければ到底やりきれたものではない無慙な光景であった。そのときの靴は、しばらく後に思うことあって黄浦江の濁流に投げ棄てた。

それにしても重慶から上海へ出て来た国民政府の役人諸賢の、その全部とは言わないが、一部の人々の眼の色はすさまじいものであった。なにがどんなふうにすさまじかったか。それを言うことも簡単ではない。米軍参戦後の重慶というところは、どうやら対

日戦争という事態の緊迫とはふさわしからぬほどな、つまりは緊張を欠いた、と言って言えなくもなさそうなところであったらしいのである。そのことはいろいろな文献にあらわれており、手近なところでは、鹿地亘氏の『火の如く風の如く』にも一部うかがわれるところがあるが、もし緊張があるとすれば、それは猟官運動と、勝利後の発財に対する思惑が少なからぬ部分を占め、従って民衆の悲惨は度をまし、そうして悲惨の度合いに応じて、民衆の勝利にかけた、あらゆる意味での解放にかけられた千万の夢もまた大きく重いものになって行った。中国共産党の勝利は、ある意味ではこの民衆の夢をおのれのものとしたことにあり、国民党の敗北は、その夢をアメリカとともに裏切りつづけた点にあったかもしれない。——しかし私は、そういう腹の減った役人諸賢を厭うべき理由をもたなかった。彼等を山奥の重慶へ押し込めたものは、ほかならぬ日本であったのである。私は、饑《う》えた民衆をほったらかして専ら発財に血眼になっていた役人諸賢を、いわば、無理はないな、というふうに思い、なんとか調子をあわせて大過なく留用期間をやりすごしたい、とその頃思っていた。

＊

思い出というものは、まったく奇怪なものだ。いったいどういうわけあいがあって、それほど中国語に通じているわけでもない私が握姆納丁《オムナディン》などという、面倒なドイツ語にあて字をした薬の名や、烏而卡登《ウルカトレン》という軟性下疳の薬名を覚えていたものか、まったく見当がつかない。中国を旅行してあるいたそのあいだ、実にしばしば、ひょい、ひょいと、まったく思いもかけぬ過去の影像がむっくりと盛り上り浮び上って来ることに、私はほとんど苦しめられた。

戦争と哲学

汽車が南京市の対岸にある浦口駅につき、そこで一列車を三分して渡し舟に乗せ、車中にいたままで長江をわたり、南京の下関《シャーカン》駅につき、紫金山が見えて来たとき、ひょいと私は、一九四五年の春、まだ敗戦にはいたらないときに、武田泰淳と二人で上海から南京まで旅行をしたときのことを思い出した。

あのとき、二人は南京の城壁の上にのぼり、そこで寝そべっていろいろな話をした。城壁の上に、トーチカがいくつかあった。兵隊も誰もいなかったので二人で、そのなかへ入ってみた。そのトーチカの壁に、日本語で

君のため何か惜しまん若桜
　散りて甲斐ある命なりせば

　という胸の痛くなるような、しかもそれでいながら、畜生め、というふうに、誰に対して、また何に対して怒っているのか自分でも見当のつかぬながらに、しかもなお猛烈に腹の立って来るような和歌が書いてあった、そういう落書がしてあった。その釘か何か、とにかく鋭い角をもったもので斬りつけるようにして書かれた文字の一つ一つまでが、実にありありと思い出されて来た。あのうたは、たしか一九四一年十二月八日の、真珠湾攻撃のときに特殊潜航艇に乗って行った特別攻撃隊員の一人、後にも軍神として、海軍報道部の平出という大佐が、ラジオで、それらしい猫撫声で、だらだらと感傷的なことを百万陀羅もならべたてた、その一人のつくったうたであった。

　そのうたの横には、御丁寧に同じ手蹟で、海ゆかば草むす屍、というのまでが添えてあった。そのことまでを思い出した。どういうわけかわからないが、それを思い出し、というよりも私の頭の方が勝手に思い出してしまってくれたわけであるが、私はなぜか、畜生め、畜生め、とつぶやいていた。何が畜生め、なのだろうか?

　あのとき南京城壁の上で、真実に紫金の色に映えた紫金山を眺め、また眼路はるかにどこまでいってもほんとにつきせぬ江南の野をつくづくと見渡し、次のようなことを考えた。

「……中国戦線は、点と線だというけれど、点と線どころか、こりゃ日本は、とにかく根本的にぜーんぶ間違っているんじゃないかな。この広い、無限永遠な中国とその人民を、とにもかくにも日本から海を越えてやって来て、あの天皇なんてものでもって支配出来るなどと考えるというのは、そもそも哲学的に、第一間違いではないかな。それは、根本からして、哲学的に間違っている。日本の、政治家どもは論外として、たとえば西田幾多郎とか安倍能成《あべよししげ》などという哲学の方の博士どもは、こういうことを哲学の問題として考えてくれたことがいっぺんでもあったかな。天皇と中国大陸とのかかりあいを、哲学として考えてくれたかな。それに、あの参謀肩章をぶら下げていばりちらしている連中は、中国研究家としてはいちばん経験に富むわけだろうが、あの連中は、知識階級として区分けしたら、これは結局、視野の狭いだけの、ただの技術インテリにすぎないのじゃないかな、要するに血迷った技巧派というだけのものではないかな……。ここで、最終的に勝つ、なんということは、これは絶対不可能だということは、中国人民のことは別としても、この大陸の面《つら》を見ただけでも、なにかの哲学の心得があったら、それだけでぴんと来るようなことではないかな……」

ざっといって、こんなようなことを考えていた。

そのとき、横に寝ていた武田泰淳が、むっくり起き上って、

「おれは明朝没落史が書きたい」

といった。そのことに、私は妙に感心した。現在のようには無性にふとって脂切った、盛名ある作家ではなく、痩せこけていたこの元衛生上等兵であって学殖豊かな中国学者は、この城壁の上から見る壮大な風景に接して、こういうことを考えるものか、と私は思った。ものを書くことについて二人で話しているうちに、私は紫金山の、まことに紫金の色をしたその岩肌の美しさにうたれ、いつかはこの美しさを書いてみたいと執心しはじめた。その岩肌の美に対する執心が、後年にいたって、日本軍の南京虐殺事件に取材をした「時間」と題する拙作になろうとは、まったく思いもかけないことであった。紫金山の美しさ加減、また長江という、河とはまったく申せぬ大河の猛烈さ加減、華北の曠野《こうや》の非人間的なまでの広がり、そういうものは、もしそれを表現したいと思うならば、人間とその歴史の怖ろしさ、徹底的な激烈さ、残虐さ、とにかく人間という人間の、徹底的な何物かを通じてでなければ到底表現出来るものじゃないという観念を、私はあの城壁の上で得たと思う。中国のむき出しの自然は、豊かな江南の、畑のなかにジャンクの帆の見えるところででも、あるいは塞外の砂漠に近いところででも、どこででも

『史前』、つまり人間の歴史以前、あるいは『史後』、人類が絶滅して、人間の歴史がおわり果てたときの風景、そういう徹底的なものを、眼前に、じかにくりひろげて見せてくれるからである。自然は歴史以前もこうだったのであろう、そして歴史以後も、恐らくこうであろう、見た眼にはなんのかかわりもないであろうという徹底したもの……。この場所に於ける現代、近代化、未来、それらのことを考えるためには、私にはもとより及ばぬことであるが——せめて毛沢東ほどにでも哲学者である必要があろう。

実に中国、またインドの、豊かであって同時に酷薄苛酷を極めたようなアジアの自然の面構えは、人間とこの世界について徹底したことを考えさせてくれる、と思われる。と思われる、などとくっつけたのは、事実としてそうである筈でありながら、それをうまくあらわす力が私に足りないと自覚しているからである。アジアの人間と自然が、すべての高等宗教と思想を生んだその理由が、私には私なりに納得出来るように思う。

さてしかし、私は個人的なことばかりを語って来た。この一文、もとより小説でも記録でも、またいわゆる〝ルポルタージュに評論をまぜあわせたようなもの〟でもなく、旅行記でもなければ回想の類いにも入らぬものを書いて行くについて、私は大旨《おおむね》、個人的なことばかりを語るつもりである。上海についてかつて感じ、考えたこと、また一九五七年の旅のときに感じ考えたこと、納得出来たこと、出来なかったことなど、引用文をもち出したりするときでも、私にそれとして納得出来るものだけを引用するつもりである。しかしとにかく、私には中国について冷静に理論的にものを語ることがまったく出来ない。中国、と二字を書いただけでも、大袈裟《おおげさ》などといわれるであろうと思うけれども、何かが身内に湧きたって来るのを感じるからだ。日本の現代史といえども、中国問題を切りはなしては成立しない。通り一遍な旅行記や見聞報告などではおさまりきらないものを私は感じる。だから、この一文も、雑誌に連載したときには、論文欄にではなくて、創作欄の方へ組んでもらったのである。私はここでフィクションをつかうつもりはない。けれどもこれは、ひょっとして異様な私小説、あるいは加藤周一君の言うところの私文学というものであるのかもしれない。

町の名の歴史

列車がいよいよ上海に近づいて来て、窓の外に郊外の灯火がちらちらしはじめた頃、荷物の整理もおえてしまい、四人の同室者たちは、なんとなく手持ちぶさたな感じで、黙然と坐っていた。

そういう、へんにくぼんだようなときに、ひょいと中野重治氏が私にいった。私は窓から外を食い入るようにして眺めていた。

「上海へ汽車が近づくというと、堀田君の青春の磁石が、チカチカチカチカと、鳴り出すだろう」と。

それはたしかにその通りであったのだが、ガタンゴトンという車輪の音が高まるにつれて、贅沢《ぜいたく》な話ながら、私は次第に何ということもなく憂鬱《ゆううつ》になって来た。それは、主としてむかしの宣伝部時代の友人たちに会うことは、恐らく不可能であろうということに理由があった。彼等は、爾後のほぼ十年ほどの歳月のあいだに、既にちりぢりばらばらになり、アドレスさえもわからない。わかっているのは、中国共産党による解放直前に日本へ逃げて来て、日本であくどい商売をやっているろくでもない男だけである。とすれば、かつて弱年の私に消すことの出来ぬ深い印象を刻印し、経験ということばはこういうことを指していうのか、といった強烈なものを与えたこの都市を再び訪れて、おれはどうすればいいのか――。

本当に、私はどうしようもなかった。上海に前後十日ほどいて、正直にいって私は途方に暮れていた、といっていいと思う。阿呆みたいに、毎日写真ばかりとって歩いた。ふらふらと町をほっつきまわることの好きだった私は、かつて一年九カ月ほどの、あの混乱期に、この都市のほとんどあらゆる町筋を歩いた。戦時中は自転車で、戦後は電車、バス、徒歩などで、歩いた。戦時中及び戦後ともどもに、物凄いインフレだったし、そうでなくっても金のなかった私は、いわゆる国際魔都だとか享楽都市とかといわれたものに縁はなく、金がなければ町を歩きまわりでもしなければならぬ……。少々ばかり、いわゆる方向音痴なところがないではないのだが、それでも私はほとんどすべての町の名を覚え、特徴のある建物のほとんどすべてを空で覚えていた。無鉄砲なのかバカなのか自分でもわからぬところのある私は、その当時危険地帯であった工場地帯にまで足をのばした。あるとき、同僚だった中国人に、どこへ行って来たのだ、と訊ねられ、その工場地帯の名をいうと、そのバッジをつけたままでか、と彼は眼を白黒させていったものだった。国民党宣伝部のバッジをつけて工場地帯などへふらふら出かけて行ったら、殺されてしまうぞ、とつづけて彼がいった。がしかし、そういうバッジをつけていない日本人は集中区以外のところへ出てはいけなかったのである。

このことについては、後にくわしく述べるつもりであるが、工場労働者たちは、接収騒ぎで工場を半身不随なものにしてしまった国民党を嫌い、また国際連合の戦災連合国救済機関であったＵＮＲＲＡ、あるいはＣＮＲＲＡ名義でもって中国にどっと流れ込んで来た、ありとあらゆる種類の米国製品、それはつまり戦争のためにつくりすぎた品物をダンピングするといったわけあいのものであったのだが、その救済物資によって上海の一切の産業は叩き潰された。これが一九四七年になると、米華友好通商条約によって、百品目以上のアメリカ商品の輸入税が二分の一から六分の五引下げられ、民族工業は破局へまっしぐらに行かざるをえなかった。産業は救済されて昇天しかねまじいことになっていた——そのために彼らはアメリカとアメリカ兵をひどく嫌っていた。国民党とアメリカは、その当時からして工場労働者には人気がなかった。そのどまんなかへ、国民党のバッジをつけた私が、用もないのにまぎれ込んで行ったわけである。なるほど私は、操業を停止してしまっていた鋳物工場や紡績工場界隈の失業労働者たちに、じろじろと見詰められた。中国の人々に、険しい、複雑な眼つきでじろじろ眺められることには、「日僑」であった私は、なれきっていた。同僚は私にいったものである。「君は、そのバッジをつけているから、きっとピストルをもっているかもしれない、と思われたんだろう」と。以後、私は工場地帯へは近寄らぬことにした。

　主な道路の名前は、少くとも三通りは知っていた。三通りというのは、たとえば、旧仏租界の大通りである、中国人たちが法国梧桐（フランス桐）と呼んでいるアカシヤの並木のある霞飛路（上海語でヤーフィロと発音した）は、そのフランス名は、Avenue de Joffre すなわち第一次大戦時のフランスの将軍であったジョッフル元帥の名をとってつけたものであり、これが太平洋戦争開始と同時に、日本軍が租界を接収し、南京の汪精衛《おうせいえい》政権に返還（？）されたとき、汪精衛はこれに中山路という、孫文の号をとってつけ、一九四五年、日本軍が降伏し、これが重慶の蔣介石に再返還（？）されたとき、蔣介石の号である「中正」をこの道にとってつけ、中正路と称した。更にこれが、一九四九年五月に、上海が解放され、これが上海市民に返還されたとき、個人名を道路につけることは一切廃止され、中国の地名の一つをとって淮海路と名づけられた。

このほか、松井通とか明治通とかと、シナ事変後に日本人が改名したものもあった。米軍による占領中には、横須賀の大通はマッカーサー通と呼ばれていたものである。

アヴェニュ・ド・ジョッフル＝霞飛路→中山路→中正路→淮海路。

これがたった一つの通りの名の変遷であり、歴史でもあった。そのことを私は知っていた。旧共同租界や旧仏租界にあって、それぞれの租界当局が命名した外人名や外国地名のついていた道路は、汪精衛政権の命名になるものと、蔣介石政権の命名になるものと、人民政権の命名になったものとの、四つの歴史をもっていた。そういうことのくさぐさを、その通りへ行ってみると、われながら異様な明瞭さで私は覚えていた。

II

忘れることと忘れられないこと

夜、九時すこしすぎに上海站に列車が入った。迎えられ握手をして、車に乗った。車は、上海事変当時に、猛烈な市街戦を行ったために大半は破壊されてしまい、私が上海を去った一九四六年暮にもまだところどころ見るも無残な破壊のあとの見られた、しかし、もう立派に建ち直ってしまった閘北を通りぬけ、河南橋で呉淞江（日本人が呼んで蘇州河といっていた河）をわたり、旧共同租界のメーン・ストリートであった南京路を下って、旧仏租界に入り、予定されていたホテルに入った。

ホテルの玄関に下り立って、私はぎょっとした。ホテルの名は、錦江飯店といった。錦江飯店とは何だったか。このいまは主として外国人の客を迎えることになっているらしいホテルは、上海人にとって、かつては、上海で日本憲兵隊についで第二に怖ろしいところであった。人々は、この十四階建の建物を見上げて怖れおののいていた。それは長江デルタ地帯一帯を睥睨《へいげい》していた日本の十三軍司令部、別名登（ノボリ）部隊司令部ががんばっていたその建物であった。

＊

ホテルの階段をのぼりながら、私は上海駅へ迎えに来てくれていた、上海の、通訳兼案内の若い人に、そっと訊ねた。

「ここは、むかし日本が……」

と。

ぜんぶをいわずに口を濁してしまったのは、私の気弱さのせいだ。はじめて出会い、はじめて口をきく人に向って、ここにはむかし日本の第十三軍司令部、別の名は登《のぼり》部隊司令部ががんばっていたところではなかったか、と淀みなく質問する勇気を私は欠いている。そんなことぐらいなんだ、事実は事実じゃないか、という人があろうと思うけれども、私は自分が、こういうことに関して気弱であり勇気を欠いていることを、別して恥しいとは思わない。

これに対して、その若い人は、

「さあ、むかしのことは知りませんね」

と、あっさりといった。

私は、これに対して、

「そうですか」

と答えるだけだが、この、そうですか、は、しかし、面倒なことに、私にとって、この中国の若い人ほどには、しかく簡単ではない。

つまり、まず第一に、私は疑う、ほんとうにこの若い人は知らないのであるかどうか、と。ということは、むかしのことは忘れよう、知っていてもそんなむかしのことに触れるのはお互いにやめよう、という含みがあってのことであるかどうか。

第二に、以前に中国のある新聞に出ていたという記事のことが頭にあった。それは、日本から来たある団体を案内して南京の町を見せた。南京という町は、日本と中国との近代史、あるいは世界史のなかでも、日本にとっての悪名轟きわたっている町である。一九三七年秋の、日本軍による暴虐事件は、Nanking Rape（南京強姦事件）とか Nanking Massacre（南京虐殺事件）とかという大文字の固有名詞となって世界史にのこっている。ところで、その記事はこう言っていた。そういう町である南京へ日本人の団体を案内した。案内した中国人は、もとよりそういうことに触れたくなかった。相手の日本人たちからも触れてもらいたくはなかった。そして、当の日本人たちも一切触れなかった。もしそれに触れたとするならば、中国の人は、いい辛いことをいわねばならず、日本人の側としては、たとえ聞きたくなくても、南京での居心地が決定的根本的に悪くなるような話を聞かなくてはならなくなる。幸いにして、そのときは、誰もそれに触れなかった。それはいい。それは中国の日本に対する根本対策に合致してさえいる。それはたしかに、そうだ、その通りだ……。と、その記者は肯定し、しかもなお、案内をした人の心持としては、誰も、そして日本人側からも、それに触れなかったということに、何かしら物足らぬ、心虚しいものを感じた、とあったのを私は記憶している。

この、実感として私たちにもジーンとつたわって来る中国側の物足らなさ、心虚しさ、そういう点に、侵略戦争を経た後の、日本と中国の心と心の関係のうちの、もっとも微妙で、もっとも解決困難な問題がある筈である。極言すれば、そこに全問題があるとさえ言ってもいい。それを日本人の側から、積極的に言っても、ことばはわるいが、実ははじまらぬのである。向う側に、求めてそういうことをいってもらいたい。触れて反省の言を聞きたい、ということもあるいはあるかもしれない。歴史というものの、また人間の行為というものの不可逆性の怖ろしさ、とりかえしのつかなさが、そこにむき出しになっているのだ。

ついでに、ナンキンということばが、現代史のなかでどれほどに世界的なものになっているかという例を一つあげておこう。この Nanking Massacre について知りたいと思われる人は、エドガー・スノウの諸著、極東戦犯裁判法廷の記録などを参照されるといい。ここでは、それらではなくて、この事件が、いまになおどんな具合に、遠い他国人であるフランスの一人の女にさえ生きているかという例である。フランスのシモーヌ・ド・ボーヴォアール女史の中国紀行である"La Longue Marche"(1957)から。

「(南京で)私たちが石段の真中でお茶を飲んでいたとき、通りの奥の方から一団の日本人たちがあらわれた。彼等はひげを生やし、鼈甲《べっこう》の眼鏡をかけ、立派な西洋服を着て皮のカバンをもっていた。私は南京虐殺のことを考え、自分に問うてみた。中国人たちは、これらの日本人のお客を前にして、自分たちフランス人が、ドイツからの(戦後)最初の旅行者を前にして感じさせられたと同じ悪感情を経験しないかどうか、と。そこで私は陳女史に訊ねた。彼女はかすかにほほえんで、『私たちは忘れることを学ばなければなりません』と答えたが、そのかすかなほほえみは彼女がそれを忘れていないことを証明していた」と。

誰も忘れることなど出来ない。出来る筈がないのだ。中国の人民政府は、政策として、忘れよう、といい、人々は忘れることを学ぼう、という。道徳教育を高唱する日本の政府はどういうつもりなのだかさっぱりわからないけれども、しかし、私は忘れない。こう血のにじんだ痛切な微妙さというもの、お互い忘れることが出来るものなら忘れたいけれども、それがどうしてもお互いに出来ぬというもの、亀井勝一郎流に言えば、たしかに〝時間は慈悲を生じさせる〟、それはそうでもあろう、時の流れは自然に解決をするかもしれない、がしかし、その核心だけはいつまでも血にぬれて残るという、そういうもの、これが恐らく異民族間交渉から生じるドラマの本質であり、従ってそれはまたそれぞれの国、民族の文化の核心に結節して行き、お互いの認識を叩き上げて行くようなものであると思われる。ボーヴォアール女史を俟《ま》つまでもなく、今日のフランス文化とドイツ文化の関係もまた、核心のところでは、これらのこととそれほど距《へだた》ったものではないであろうと推察される。

南京ついでに、もうひとつエピソードをつけ加えておきたい。

というのは、列車が南京駅に入ったとき、ホームで珍しいものを売っていた。それは雨花石といって、南京の名所のひとつである雨花台附近から出る、豆粒ほどの、白、紅、朱、茶、黒などの石で、これを水を湛えた内側の白い小つぼ、あるいは筆洗か茶碗様のものに入れて、水による光の屈折によってこれらの色さまざまな石粒が浮き上って見える、それを楽しむという、例によって手の込んだ、芸のこまかい、文人の愉しみの一つなのだ。別に高価なものでも貴重なものでもない。それを、私たちの一団の人々も、競って買った。

それを見た瞬間に、私は、ああ厭なものを売ってるな、と思った。厭なもの、というい方は、いけないのかもしれない……。

雨花台というのは、近代では、これは要するに刑場だったのだ。烈士、逆臣、漢奸《かんかん》、戦犯などを、斬首したり、銃殺に処したりするところだったのだ。その赤い石は、血の色ということになっているものなのだ。汪精衛政府の要人たちも、そこで銃殺され、日本軍の総軍司令官であった岡村寧次は免れていまでは罪なしということになっているが、多くの将校、下士、兵がそこで蔣介石政府によって銃殺されている。私がいまでもありありと覚えているのは、酒井中将という、山西省あたりにいた部隊の司令官が銃殺されたときの写真と報道である。酒井中将には、国民政府側の報道によると、戦争犯罪にかてて加えて、部隊を共産軍である八路軍に参加させ武器を渡したから、という理由がつけ加わっていた。銃殺は、公開で行われ、数百の観衆がそこにいた。殺し方も殺され方も、まことにひどいもので、当時、アメリカの雑誌ライフは、その状況をつぶさにカメラに収め、附け加えた文章では、あまりにひどすぎるという、国民政府に対する非難をしていた。中国の近代史においては、公開処刑ということは屢々《しばしば》あったことである。後に述べるけれども、私自身、一人の漢奸の処刑を目撃する羽目に陥ったことがある。当時、このライフの写真を見て、いかに歴史にその例ありといえども、こういうことをしてはいけない、と思い、眺めていて自身の腹の中にどす黒い血がたまったような気になった。

人間と歴史がそこにかかわっている限り、一粒の石といえども人間と歴史にとっては自由ではないのである。こんなようなことを考えて、私はその雨花石を買うことをためらい、やめとこうと思い、またそれを知っているなら、それをこそ記念して求めておくべきではないか、記念とはそういうことであって、都合のいいことや楽しいことにだけ、記念という文句を使うことにきまったものではないだろうなどと考えたり、考えは出たり入ったりし、結局その中間くらいな心持のところで、私もその石をもとめた。そして、この石にこんなような因縁がくっついているということは、いっしょに旅をしている仲間には言わないことにした。微妙な楽しみだね、文人趣味というものはこういうものかね、などといって楽しんでいる人たちに、それを話して、ゲエといわせることは私の趣味ではない。

中国の人々は、よく〝日中両国間の交渉は二千年にもわたるものであって、まずいことになったのは、近々六十年ほどのものです。〟だからそれほど気にするには及ばぬ、という風にいってくれる。それはそうかもしれない、しかし、六十年といえば、いま生きている日本人と中国人の、ほとんどの生涯をそのなかに含む時間である。

ホテルの階段での短い会話から、途方もないところまで、(例によって) つっ走ってしまったが、事実は、その上海の若い通訳氏は、錦江飯店がむかし何であったかを知らなかったのである。

けれども、たった一つの建物の今昔についてさえ、これだけ手数がかかるということは、私個人が現代中国、あるいは日本と中国ということについて容易なことではアタマが動かず、まことに手間やら暇やらのかかる人間になったということだけにとどまるものではなくて、日本人、中国人おのおのの、非常に多くの人間が、それぞれに簡単にひっくるめてしまうことの出来ない、手間も手数もかかる、厄介といえば厄介、貴重といえば貴重な重荷をになっているということを意味するであろうと思う。それをほんとうに、心から、重いなあ、と思うことの出来る人が、この重荷に始末をつけることがもし可能だとして、おのおのそのほんの一端をでもうけもつ責任がある。

ということは、この若い通訳氏のように、それを知らない世代が既に出て来て、日本中国両国の社会で、第一線に出て活躍をはじめているからであり、そこに、既に新しい歴史が脈々と動きはじめているからでもある。

むかしを知っている人は、日中双方ともに、それを直接には知らない世代とのあいだの切れ目を少しでも埋めておく必要があろう。そうすることが、少しでも長く生きた人々の、たとえばこの若い通訳氏の世代に対する、また歴史に対する責任というものであろうと思う。そんなことは知らなくてもいい、ということは、歴史にそう沢山はない筈である。

私たちが上海駅を出て自動車に乗ろうとしたとき、駅前にいた子供たちがガヤガヤと寄って来た。そういうことは、広州でも北京でもなかった。どこでもなかった。上海人《ソンヘエニン》の物見高いことは、これはもう札付きのものであって、前記ボーヴォアール女史などもびっくりして、「だけどここの人たちは、西洋人にはなれている筈じゃないかしら」と付添いの人に問うているが、物見高いことは、とにかく事実なのだ。

けれども、ちょっと考えてみよう。上海に現在どれだけの白人、外国人が住みつづけているか私は知らないが、旅行者以外の人をあまり見ることがなくなってから、もう何年かの月日が流れてしまっているのではないか。国際都市――その頃あるアメリカ人は、私に、ここは international trash 国際的なゴミ箱だ、といったものだが――などといってみたところで、何のことやらわからぬ世代が、立派に育って来ている。それはちょうど、日本の若者たちに、戦争中のことを話してもとんと近頃は手応えがなくなったということと、軌を一にしている。それはまことに戦争や帝国主義からの解放の証拠というものである、ということになるものかもしれないが、救いというものでは到底ないだろうと思う。

日本の若者たちと戦時中のこと、上海の若者たちと帝国主義時代、あるいは革命の苦労についてのこと——このパラレル、乃至《ないし》は歴史。時間というものがもたらす作用についで、しみじみと考え及ぼすことを強いられたのは、はじめの若い通訳氏についてだけではなくて、滞在中、中国作家協会の上海分会で、上海の作家、評論家、新聞記者、教授、それに復旦大学と師範学院の文科系の男女学生八十人ほど、合計百人を少し越える人数を前にして、私がはなしをひとつした、そのときに、まことにまことに、と思わせられた。

そのはなしで、私はほとんど半分がたは、むかしの上海の景観と、今日のそれとの比較、むかしの上海と日本、そのなかにいて私が何を考えていたかなどのことについて話したのだが、むかしの、それこそ乞食、淫売、浮浪者、失業者、ギャング、泥棒、スリ、カッパライ、外国人、外国兵などの、この都会の属性としてなくてはかなわぬものか、とさえ思われていたものの一切が所属してくれていた時のことを話しても、若い人たちは、要するにポカーンとしているのである。年長の、作家、評論家、教授や新聞記者が、頭をタテにふってうなずいているだけである。話していて、私はいささかあわてた。一方に、意地になってでも、という気がないではなかったけれども、大部分の数を占める学生諸君に、なんのことやらわからぬ、反応のほとんどないはなしをしても仕方がない、というものである。十三年がたったのだ！　共産党による解放以後、八年がたったのだ！

なるほど、戦後の大混乱、あのむき出しの時期は、われわれの側にも、もうない。そしてわれわれは、たとえばシスター・ボーイなどというものを生むことが出来る余裕、あるいは悲鳴をもつ余裕をもっている。そしてここには、むかしの毒や泥水をほとんどかぶっていない、若い肉がもりもりと盛り上って来ている。

通訳ともども一時間半ほどで、はなしを一応おわって、十分間休憩して質問をうけることにした。見ていると、あちらこちらにひとかたまりずつかたまって、何かを相談している。紙を出して書きつけている。何を相談しているのか。と傍へよって行って訊ねたところ、時間が短いだろうから、また要領を得ない質問になっては講師であった私に迷惑であろうから、質問要綱をグループごとに議論をしあってまとめているとのことであった（この問答は英語による）。なるほど、と私は思った。かねがね日本の大学その他で講演をさせられての後の、日本の若者たちの非常に多くの人たちの、あのなんともかとも要領を得ぬ、いったい何を質問し、何を知りたいのか、当方にはまったくつかみかねるようなことをならべたてて、〝で、まあ、そういったようなことについて、先生はどう思われますか〟という奴やら、返答者におもねたり、わざとつっかかってみせたりする、みせびらかし式の質問には、私はかねがね閉口し切っていたので、これらの大学生たちの態度には、なるほど、と感心した。

参考までに、彼らの質問条項と、それに対する私の答えとを、簡単に列記しておこう。

㈠ 中国古典、古典戯曲の日本に対する影響如何。

答。中国古典の影響は大ありであって、ありすぎて困るほどであったと思う。古典戯曲のそれについては、知識なし。あまりないと思う。

㈡ 中国現代文学の評価如何。

答。世界文学の枠にはめて偏見なく評価していると思う。買いかぶっていることはまずないものと承知してほしい。

㈢ 社会主義リアリズムの評価如何。

答。これには私の方から念のために、社会主義リアリズムとはどんなことをいうのか、と反問。これに対して、たとえば作品としてはゴリキーの「母」のようなもの、という返答があったので、私は「母」が社会主義リアリズムという特定の方針によって成ったものと思わぬ。従って、社会主義リアリズムという特定の方法が、それほどにプロダクティヴなものとは思わぬ、と答える。そう答えると、ひとしきりざわめきが起り、彼等相互の私語が一分くらいはつづいた。

㈣　日本文学界ではどういう流派が優勢か。

答。量的には中間小説というのが、ダンゼン優勢。しかし質的には、自身その真只中にいるので、何派がいったい「優勢」というものなのか、なんとも答えかねる。

㈤　日本における最近の文学論争について。

答。上部構造論争があった。それはあなた方には大いに興味のある論題であるかもしれないが、自分にそれほど興味があるわけではないので、身についていない事柄についての説明は遠慮したい。

㈥　アメリカ文学思潮の影響について。

答。占領にもかかわらず、ほとんどなかった。皆無といっていい。が、これから若い人々に出るであろうと思う。風俗に対するアメリカ映画の影響はかなりある。

㈦　世界文学のうち、日本人民は何を好むか。

答。量的には、恐らくフランス文学、ロシア文学、英文学であろう。中ソの現代文学は、あまり人気がない。

(八) 大学生の生活と関心について。

答。あそんでいるのもいれば、勉強しているのもいる。それはあなた方とそうかわらぬと思う。が、あなた方の関心が祖国建設であれば、当方にはそれより先に就職という難関がある。

(九) 反米闘争の実情について。

答。沖縄と砂川の闘争について例をひいて(控え目に)話す。(学生たちは、この二つの闘争のことを、比較的によく知っていた)

学生たちは、男も女もはきはきしていて、陰気な若年寄りめいたところがなく、若さが充分に精神の隅々まで行きわたっている感じで、その陽気さが当方にまでつたわって来、私もいつか晴々しい気持にさせられ、そして不充分な答えをしていた。

作家協会は、旧仏租界の――ああ、いつまでいったい仏租界だの、共同租界だのと私はいうつもりだろうか、そんなことはもうどこの世界でもなんの意味もないのだ――、閑静な住宅街のなかにあって、広い庭の泉水の中心には、大理石の、女人裸像が立っていて、のんびりと噴水の水を浴びていた。私は、いずれこの家は、逃亡した買弁資本家のものであったか、外国人所有のものであったのだろう、と想像した。北京の作家協会は、むかしは日本の総領事が住んでいて、戦後にはアメリカの士官クラブになっていたものだ、と、毛沢東の少年時代からの友人であった詩人の蕭三氏が語っていた。私の坐っているところからは、その噴水に濡れた白い裸身像がよく見えた。

再び忘れることと忘れられないことについて

ホテルに帰って来て、私は地図で、先刻の学生たちの一部が属している復旦大学がどこにあるかを調べた。むかしは、市中の北京路にあったのである。それは、北郊の方へ移っていた。その場所をさぐりあてて、私は、ほおっと溜息を一つついた。

それは、かつてたしかに私が行ったことのある、しかもそこで私は慄《ふる》え上るような、いまのことばでいえばつるし上げられたことのあるところに、間違いはなさそうであった。

一九四六年の晩夏から秋にかけて、私はときどき大学生たちの集りへひき出された。しかし、その場所へ行ったときほどに、はげしい経験をしたことはなかった。校舎や寄宿舎――いや、いったいあれが何という大学だったのか、それすら、その当時でさえ、はっきりしなかったのだ。何故なら、その大学は、江山三千里を万難千苦を排して上海から歩いたり乗ったりして奥地へ移り、いままたやっと奥地から上海へ戻って来た、あるいは軍隊から復員乃至逃亡して来たいろいろな大学の学生や教授たち、つまりは中国のことばでいえば、乞食同然な風態と化した「流亡学生」や「流亡教授」たちの雑然とした集合所であったのだ。えらいところへひき出されたぞ、と私は思った。もともとその建物が大学だったのを日本軍が接収して使用していたものかどうか、あるいはまた、もと日本軍の兵舎であったところを集合所としたものなのか、私は知らなかったが、廊下のところどころに「下士官室」とかいう標示があったり、「米英撃滅」などというビラがまだのこっていたりした。窓ガラスのほとんどが割れていて、まことに荒涼たる有様であった。しかも、窓外の運動場、あるいはかつての練兵場であったあたりには、旧日本軍の弾薬、砲弾、爆弾、銃弾などの箱が雨曝《あまざら》しのまま、見渡すかぎり積み上げてあった。話に聞くと、日本軍十何万だか、二十何万だかが三年間は使えるだけの弾薬であるという。まことに物騒極りないところに彼らは住んでいたわけである。そして、少しはなれたところには、内戦用にアメリカが国民党に与えた軍用トラックが、何百台だか知れぬほどに並べてあった。その見渡す限りの軍用十輪トラックの列は、実に、迫力に満ちた凄烈な感じのものであった。奥地から還って来た流亡学生や流亡教授たちは、そういう、日本軍の弾薬とアメリカの軍用トラックの真只中におかれていたのであった。

そういう環境のなかで、これらの学生や教授たちは、中国の未来について何を考えたか。

当時、中国のインテリは、誰かれの差別なく怒っていた。怒り過ぎて絶望し、現在に一切の希望を失って、陰鬱になり、しかも自分が陰鬱になっているということに怒っていた。少数のものは、単純に自嘲していた。少々は気の利いたということになるかもしれないインテリたちは、きわめて簡単に“China is hopeless”と英語で私に告げた。一人や二人ではなかった。そうは思わぬ連中は、黙って怒っていた。当時上海発行の大公報に塔塔木林《タタムリン》という妙な名前の男が「紅毛長談」という、それこそ戦後の中国のザマをクソミソにやっつけた連載記事を書き、それが人気を博していた。たとえば、次のようなことが書いてあった。いまの国民党の政治は法四斯《ファシスト》だとある青年は語ったが、法四斯《ファシスト》などというシャレタものであるわけがない、中古政治だ、とか、あるいは、内戦を解決するものは中共でも国民党でも米国でもなくて、それは原爆だ、第三次大戦が中国で起って原子爆弾で中国人民が全部死ぬ、それ以外に解決はない、などと無責任な放言をしていた。こういう「紅毛長談」がインテリに異様な人気を博すほどのことが、そこに、あった。これはある意味で、当時の上海の知的気候とその頽廃の深さを示すものであるかもしれない。

「長い試練の日々を経た現在、中国人たちは疑惑にみちみちた気持でいる。誰もが誰もを疑っている。資本家、外国人、地主、政府、おのおのみな疑惑をもっているのだ。そして日本軍の占領下にずっと暮して来た人々は、後方の自由中国から来た連中を忌み嫌っている。一方重慶側の人々は、彼等を対日協力者だと非難する。憎悪と嫉妬心が今日の政治の起動力になっている。」

と、フリーダー・アトレイ女史が語っていることは、真実であった。("Last Chance in China" Freda Utley, New York, 1947)

その頃、中国共産党は、着々として農村を解放し、解放され追放された地主の一人が台湾へ逃げて行く途中、私に「現在中華民国是大乱」と語ってくれたことがあった。一九四九年五月に、上海を解放した主力は、上海の労働者でも学生でもなくて、農村から出て来た解放軍であった。中国の農民が、この世界的な都市を中国に解放したのであった。これもまた、極めて意味深い事実である。

さてその大学生たちであるが、第一にその服装たるや、まことにひどいものであった。中国服をまとっているものも、軍服らしいものを着ているものも、ほとんど一様に襤褸という漢字がぴったりするようなぼろをまとい、痩せこけて顔色は土色、咽喉仏がつき出ていたのが印象にのこっている。それは私をそこへつれて行った宣伝部の役人の、脂の充分にのったのっぺりした顔や、ギャバジンのスマートな新調の服とまったく対蹠的《たいしょてき》であった。彼等は、眼だけがぎょろぎょろしていて、奥地の桂林あたりから引揚げて来た栄養失調の日本軍の兵士たちよりももっとひどい人もいた。みな、私の眼には三十以上に見えたが、実はまだ二十代の若者たちだったのだ。彼らは、この窓ガラスのない、砲弾にかこまれた校舎で寝泊りしていた。従って、私がひき出されたその場に、そこに一種すざまじい気分、なにか凄惨なものがあったのは、不思議でもなんでもなかったのだが、当時二十八歳であった私は、いっぺんに怖気づいてしまった。会場である教室には、反対飢餓、反対内戦、反対迫害、反剿民、反屠殺（編集部注・反虐殺の意）、要活命、要生存、要読書、為死者報仇、為生者謀活命、争取最基本的読書権和生存権、などという、当方の顔色もなくなるような、いっぺんで寒くなるようなポスターが横ざまにべたべたとはってあった。そういうなかで壇に立ち、ぎょろりとした百ほどの眼で見詰められたとき、私はほんとうにどうしようかと思った。

実際、集団としての中国の学生たちには、底深い凄味があった。米国のマーシャル特使が内戦の『居中調停』に来て、彼が上海に来たときに、男女の学生がホテルをとりかこみ"Marshall, Go Back to your Sweet Home !"あるいは"Marshall, Go Home !"という大きなのぼりを立てホテルから一歩も外に出すまい、誰もホテルには入れまい、としているのを見たことがあったが、それもまた私には肌寒くなるようなものを感じさせた。そのなかに、私の知っていた可愛い女学生をみつけたが、平素はネンネのようだったその子が、唇を噛みしめ、緊張に顔色蒼白となり、まったく、〝眦《まなじり》を決して〟というい方があたるような顔をしていた。それは、恐らく軍警憲が、いつ発砲して流血がおこるかわからぬという覚悟があるからであったろうと思われる。中国の学生運動の歴史は、実際にも流血の歴史であった。楊叶という人の編著になる「中国学生運動的故事」という本を見てみても、抗戦勝利以後から解放までに、数百名の死傷者を出している。更に抗日戦や後方への大移動、内戦などに参加して死んだ、当時の中国としてはただならず重要な宝であった青春の数は、これはもう数えることも出来ないだろう。わだつみに叫ぶ声があるのは、日本だけのことではない。

ここで私はダレスが日本政府をまるめこみに東京へ来たときの、日本の新聞のあつかい方を思い出す。

さて、私は、当時の中国の新聞や、ひと月にいっぺんほどまとめて送られて来る日本の新聞——あの頃は、タブロイドたった一枚で、その大部分をマッカーサーの演説が占領しているという始末のものだった——などからとった材料で、ポツダム宣言、民主化、憲法草案などについてはなしをした。はなしがおわると、一人の学生が、まったく私に噛みつくような工合に質問をした。

「あなた方日本の知識人は、あの天皇というものをどうしようと思っているか？」

顔色土色で、栄養失調のせいであろう。髪の毛がひどく薄くなっているこの青年は、那個天皇東西と、たしかに言った。那個というのは、アレとかコレとかいう代名詞であり、東西《トンシー》というのは、東《ヒガシ》と西《ニシ》のことではなくて、モノ、このモノ、あのモノの、モノのことである。黄色い歯をむき出して、ほんとうに噛みつき切りつけんばかりの憎悪があらわれていた。顔の皮膚は、中国西北の山襞のように皺《しわ》が目立ち、節くれだってひびの入った手は、生きるためにあらゆることをして来たことを物語っていた。この経験をかつて小説に書いたとき、私は、「天皇に対する憎悪不信も、ここまで来ると、そこに純粋な金属の截断面を見るような一種の痛烈さがあった」と書いたことがあるが、それはまったくそうであった。そして、たとえ噛みつくようであっても、そういう無理難題を出して私を苛《いじ》めてやろうという下心は、まったくないということを、私はわからされていた。質問自体、天皇制をどう思うか、などということではなくて、より積極的に「どうしようと思っているか」というのである。

このほかに、他にも書いたことがあるが、

「日本の共産党は、占領軍を解放軍と規定したというが、いかに民主化をとなえようとも、資本主義の国から来た軍隊が、最終的に人民解放を支持しようとは思われない。意見を問う」

という質問もあった。

私が、どう答えたか。答えのあらましは覚えているが、どんなものでもあらましのところを書けば筋立って見えるもので、それでは私がどんなに立往生をしてしどろもどろの恥しいことになったかを伝えることは出来ない。さぞかし、彼らには見苦しく見えたことであったろう。私は、日本共産党のことまで背負いこむわけには行かないが、しかし、思い出しても顔があかくなる。この二つの質問が出る以前に、日本は米軍の庇護のもとに再び軍国主義化している、といった学生がいたので、私は腹を立てて軍隊もないのに軍国主義だなどとへんないいがかりをつけてくれるな、といったりもしたのだが、今日のミリタリズムというものは、十九世紀的なそれとは完全に質を変えていると思われる。この学生の質問は、長く潜在していて、日本が米国の対ソ対中国作戦基地になることが漸《ようや》くはっきりして来た一九四八年、五月と六月にわたる上海の学生たちによる基地化反対、「反対美帝扶日」（アメリカ帝国主義が日本に勢力を扶植して基地化することに反対する）の大デモが行われることになり、そのデモではじめて、いまの中華人民共和国の国歌である「義勇軍歌」が公然と街頭でうたわれることになった。そして、その日本の基地が、人民共和国成立直後の朝鮮戦争で、どういう働きをしたかを考えれば、彼らが何を覚えていて、何を忘れないでいるかは、ほぼ明らかであると思う。

お互いに、忘れることが出来るものならば、それを学ぶことが出来るものならば、学びたいものだ。私とて、いやなことは口にしたくない、書きたくもない。むしろほんとうは、深く黙り込んでいたいのだ。しかしまた、それを忘れぬという、その辛さが、日本と中国とのまじわりの根本なのだ。われわれの握手の、掌と掌のあいだには血が滲んでいる。

あのときに、叩きつけるようにして質問して来た栄養失調の学生は、どこでどうしているであろう。生きているならば、何かの幹部になって働いていることであろう。彼の頭のどこかに、あのとき、おどおどしどきどきしていた日本の青年の記憶があるかどうか。私は戦後すぐの頃に、一人でもいいから抗日に挺身した人に会ってみたいものだと念願した。そして地下工作をしていた、という人にも何人か会ってみた。が、その結果は、いつも、深く疲れどす黒く汚れた感じのものをしか受取ることが出来ず、現実とはかかるものか、と観念するにいたった。あの青年がその一人であったことはたしかである。また今度の旅で出会ったにこやかな著名な人たちも、泥水は浴びたことはないが血の雨くらいならば浴びたことがある、というものをどこかに秘めている、と思われた。

しかし、あの青年は、こうしたことの数々を知らない、知っていてもぼんやりした記憶しかもたぬ新しい世代が、若い肉が、中国にも日本にももりもりと盛り上って来ているることをどう思っているだろう。他人の疝気《せんき》まで病むことはないかもしれない。日本にアメリカの基地があるということを忘れている中国の青年は一人もいないであろうし、日本と中国に国交がない、いまだに戦時状態なのだということを忘れている日本の青年も一人もいないであろう。

「冒険家的楽園」

この稿のはじめの方で、今度の旅行で私は上海に前後十日ほどいて、どうしようもなかった、正直にいって途方に暮れていた、と書いた。私は第一日目を除いては、ほとんど計画されていた見学には参加しないで、ひとりで町の三輪車を拾い、電車、無軌道電車に乗り、あるいは徒歩で、勝手知った町々を歩きまわった。

そうだとすれば、なにも途方に暮れたなどということになりゃせんじゃないか、ということになるであろう。けれども、それでもなおかつ、なのである。何故か？　むかしの友人たちのアドレスがわからないので会えそうもないということもあったのだが、それよりも何よりも、町筋を歩いていて、私は、なんだか、ガラーンとしとるな、という風に思うのである。ガラーン、がわるければ、キレイサッパリ、といってもいい。そして矢鱈《やたら》無性に、洗いざらしてサッパリした服装の子供ばかりが眼につくのである。たしか宮本百合子に、〝子供子供のモスコウ〟といった題名の文章があったと記憶するが、むかしと比べれば比較にならぬほどに小ぎれいな服装で、元気で陽気な子供ばかりが眼につく。これは北京でもそうであった。子供ばかりが眼について、それでいて、町筋はガラーンとしとる、とどうしても私は思うのである。ガラーンなどという、得体のはっきりしないことばをつかうのもわるいが、そういうことばで、それが私に、来た。

しかし、ガラーン、などといっても、人がいないというのではない。東京の何分の一という狭いところに、一九五七年現在で人口七百二十余万というから、それはもう大変なことになっているのだ。七百二十余万——だから、封鎖でもって社会主義世界外のわれわれが知らぬ間に、人口ではなんでも世界第三くらいの都市になってしまったらしいのだ。一九四六年末には、ほぼ四百五十万くらいか、ということになっていた。ほぼ、というのは、その頃は人口調査がなかったからである。同じ頃に、南京で戸口調査をやって、というのは共産党狩りのためであったが、人口七十六万、うち一万人は流動人口、つまり家がなくてそこらここらで寝ている流氓《りゅうぼう》という結果が出た。つまり南京では七十六人に一人がルンペン、浮浪者、難民だ、というわけであった。ところが、いま上海は七百二十余万、いかに高層建築が多く家々は密々層々としていて、解放前の住宅総数の十二％にあたる三百二十二万五千平方メートルの家を既に新築し、現在進行中の第二次五カ年計画で百万人分の家を新築するつもりとはいうものの、これでも実のところはまったく足りないというものであろう。だから、人間は溢れてこぼれかけている筈である。事実、南京路などの盛り場を歩くには、人にぶつからぬようにするためには、気をつかわなければならない。

けれども、そういう風に人が溢れているにも拘《かかわ》らず、それでもなおかつ、私は、ガラーンとしとる、なんだかばかに風通しのいい、機能的な町になってしまったな、という風に思う。手短かにいうとすれば、要するに都会のもつ魅力、それははっきりとこれこれしかじかの魅力と個条書きにすることなどは出来ないし、もしそうしてみれば、それは魅力ということばでいうことの出来なくなるというような、いわば都会のもつ空気、鼻をきかせてみてはじめてわかって来る――というような要素、そういうものがキレイサッパリなくなっている、と感じられるのである。

そういう点では、上海は格別な都会であった。一九四二年の三月に出た殿木圭一氏の著書『上海』は、そのはしがきに次のようなことばをもっている。「上海に関する固有名詞は北京語、上海語を始め英語、フランス語、広東語、日本語など随分と入り乱れて……万事混沌としてゐるのが上海の真の姿であり、それが克服された暁は上海は上海でなくなる」と。

万事混沌――中国に、いや世界のなかに、この奇怪なものであった典型的な植民地都市をおいてみるとすると、それはどんな恰好のものであったか。世界を広く旅しているフランスの作家で批評家のクロード・ロワの日記をのぞいてみよう。

「河を一つもって来るんだ、その河のほとりへマルセイユのドックを置く、そうしておいてサンフランシスコから五つか六つほどビルディングのブロックをちぎって来て、そいつを真中におく、そのまわりに数十キロにわたってマンチェスターの貧民街の道をつけ加える。それから、あちらこちらにリールとトリノの工場の煙突をさし込み、そのまわりぜんぶに映画の『ミラノの奇蹟』にあったような、例の病んだような長屋を詰め込む。そうしてここへ六百万人の中国人をおき、そこへ一握りのアメリカ人の実業家《ビジネス・メン》と英国人の『大班』と、彼等のための白系ロシア人の護衛、ボルドー酒の商人、インド人の巡査、ウィーン女の、あるいはハンガリー人の淫売をまぜる――と言えば昨日の上海というものをつかむことが出来よう。」(“Clefs pour la Chine” Claude

Roy, 1953)

これが、まず「昨日」の外形と言っても、そう間違いはなかった。万事混沌――これが上海の上海たる所以《ゆえん》であったとすれば、今日の上海は、まさにそれはまさにほぼ完全に「克服」されてしまった。ここに克服といわれていることばを、今日の上海の人々は、「解放」という。F・L・ホークス・ポットの『上海史』は、欧米人の上海における〝オールド・グッド・デイズ〟について、臆面もなく次のようにいう鉄面皮さをもっていた。少し長いが、これは一つの標本のようなものだから引用をしておきたい。

「外国人居留民は一つの家族のやうなものであつた。誰でもお互に知り合つた人だけであつた。外国人は広い地所を構へて大きな屋敷に住み、一寸と呼びさへすれば直ちに応じ侍る大勢の召使を抱へ、まるで王侯のやうな生活をしてゐた。外国人は自己本位の民団の中で多くの広汎な特権を享有し、商業関係以外のことでは外部の支那民衆とは何の掛り合ひもなかつた。娯楽も自分達に応じたものを勝手に求められた。例へば、乗馬競技、ペイパーハント、ボート競技、自家用ボートで奥地への舟遊び、また狩猟の獲物も多かつた。クラブは楽しかつた。そして音楽や芝居の素人演技を楽しんだ。天候をさほど気にしたことはなかつた。そして秋や初冬や春には酒盛をして騒いだ。過剰に働くことはなく、常に遊ぶための時間の余裕があった。屋外では、乗馬、クリケット、フットボールまたはテニスをして身体を鍛へる機会は豊富にあつたし、また屋内では、社交的催しが頻繁にあつて、晩餐会やトランプ会やダンスパーティーが常に催された。

当時の外人は智的な学問研究には大した関心を持つてゐなかつたが、それでも文学研究会の討論会やローヤル・アジアティック・ソサイエティ（亜州文会《ヤーチヨーウエヌウエイ》）の講演には関心を持つ人が多数集り、また読書に興味を持つ人も多かつた。公共奉仕の精神を有する人々は義勇団や消防隊に加入して活動することが出来たし、大班（勢力家）である人は租界市の行政に参与することが出来た。

昔の上海人は殆ど貧乏を知らぬ豊かな居留民団であつた。それはいろいろな意味で、南北戦争以前のアメリカ合衆国南部の植民者たちの生活に似てゐると言つてよいものであつた。」（土方定一、橋本八男訳）

まことにいい気なものである。彼らは、カイロ、バグダッド、ボンベイ、カルカッタ、上海などで、かつてこういう生活をやって来たわけである。かつての日本人居留民の上層部もまたこの例外ではなかったであろう。けれども、その蔭の方で、中国の労働者たちはどういう生活を送って来たか。この点についても、西欧人自身に語ってもらった方がいいだろうと思う。ここでは、レウィ・アレイの経験を聞こう。

レウィ・アレイ（Rewi Alley）という人は、ニュージーランド人で、エドガー・スノウやジャック・ベルデンのように新聞記者としてではなく、一九二七年に上海の工場衛生に関する監督官として中国へ来、女工哀史どころのさわぎではない非道な工場労働者の労働条件を改善すべく、なりふりかまわずに上海の労働者のために一緒になって戦い、抗日戦争がはじまると率先して中国工業合作社運動をはじめ、中国の各地に支部合作社をつくり、自らは、現在、人民共和国政府が開発と工業建設に努力している中国西北部、蘭州のもっと西北、新疆省の入口に近い甘粛省の山丹というところで合作社運動に従事した人で、工業合作社運動の略称である〝工合〟（Gung-ho）は、抗日戦争中の掛声、スローガンの一つにさえなったものであった。そして、この工業合作社が、労働者自らがその企業の所有者であるという形をとったので、蔣介石政府から睨まれるという事態をひきおこしたこともあった。中国の解放運動の背後には、ぽつんぽつんと、たとえばカナダ人の医師で解放軍の手伝いをし、自ら殉職したノーマン・ベチューンや、レウィ・アレイの仲間の英国人のジョージ・ホッグなどのように、いろいろな国籍の人が献身的に働いていたことも忘れてはならない。そしてまた、これらの人々が一生をそこに献げるに値したものがそこにあったということも忘れられてはならないであろう。レウィ・アレイ氏は、いまではどうやら中国の名物男の一人となっているようである。私は、今度の中国旅行で、この人に会ってみたいと思っていたのであるが、北京にいるあいだ、どういうものか、この人に会いたいということを忘れてしまい、北京をはなれる汽車にのってからやっと思い出し、附添いの人からレウィ・アレイ氏は、私たちのとまっていた北京飯店に丁度居合せたのに……、と聞き、後悔先に立たず、自分の迂闊《うかつ》さにつくづく愛想がつきた。私は調査者としては、資格零であった。だからここでは、彼の著作、古い中国と新しい中国との対比を日記のかたちで語った、横文字による現場の記録としては今日では古典的な資格をもつ三冊の公刊された日記の一冊、“Yo Banfa!”(有弁法)から引用したい。その生涯のうちの三十年を、つまり後半生の一切を、中国の労働者農民のためにつくしたこのニュージーランド人は、人民共和国の成立を、真に祝福する資格をもった、その数多からぬ筈の白人のうちの一人である。彼がはじめて中国人を見たのは、ニュージーランドの金鉱にやとわれていた惨めな苦力《クーリー》たちであり、二回目は、一九一八年、第一次大戦のとき、ソンムの戦場で、ここでもやとわれて来ていた戦場清掃用の中国人苦力たちが独軍の侵入に対して武装し、攻撃を食いとめた、そのときアレイは兵隊としてこの苦力軍に助けられたのであった。それが彼にとっての、中国とのかかわりはじめであった。

ところで、次に引用するのは、工場衛生監督官レウィ・アレイが、一九三一年上海で、彼を訪ねて来たアグネス・スメドレイに会い、彼女に上海の労働者の状況を話して聞かせている、その部分である。

「私は、この古い制度の下では、どんな労働条件の改革の可能性もないと最終的に幻滅してしまったときのことを彼女に話した。それは、一グループの青年たちが製糸工場に働いていた労働者を組織しようとしたところ、彼らは『共産主義者』として無慙《むざん》に処刑されたのを見たときであった。上海の生糸製糸工場は、私が監督に行った工場のなかでも、まことに悪夢のようなところであった。八歳か九歳になったかならぬほどの子供たちが一日に十二時間も繭を煮る大桶を前にして列をつくって並んでいる。その指は赤く火ぶくれし、眼は血走り、眼のまわりの筋肉はたるんでしまい、職制が殴りつけるので多くの者は泣きながら働いていた。この職制は八番ゲージのワイヤを鞭としてもってあるき、もしこの子供たちのうちで糸を間違ってひいた者があると、罰として熱湯でその細い腕にやけどをさせたりしたものである。部屋のなかは、蒸気でいっぱいで、ただでさえ暑い上海の気候のなかでは、数分そこに立っているのさえ私にはたえがたかった。私たちはセントラル・ボイリング・システムをつくりあげようと努めたけれども、経営者は賛成せず、子供たちの賃金といっても、あわれな程のものだった。

逮捕された青年たちは、半裸で厳重に縄をかけられ、棒に吊りさげられて処刑場へ運ばれた。そこで彼らは地面へ放り出され、国民党の役人が仲間からピストルをとりあげ、近附いて行って一人一人、その脳を吹きとばす。私が立って見ていた傍に一人の肥った絹服を着、絹帽をかぶった少年がいたが、これが見ていて歓喜にいきりたって手を叩いたものだ。そのとき突然、私はたった一つ残された道は、基本的変革だけしかないと思った。

(こう話したとき)、アグネスは身をのり出して来て私の手首を握り『なら私たちは一緒にそいつをひっくりかえすよう努力しましょう。』といった。」

スメドレイは、一九二八年に中国に来、一九三三年に彼女の最初の中国に関する本『中国の運命』を書いているのであるが、一九三一年の、このレウィ・アレイとの会見は彼女の生涯にとっても、かなりに意味のあったものであろうと思われる。

賃金が安くてすむ年少労働者についての証言は、われわれ日本人の側にもある。

次に引用するのは、一九三九年に第一書房が刊行した『支那在留日本人小学生綴方現地報告』という本の中からで、上海東部日本尋常小学校尋五太田真子さんの手になる幼い証言である。題は「うちの女工さん」。

「朝の六時半（傍点筆者）になると仕事始めのりんが、ちりんちりんと気持よく工場のすみからすみまでひびきわたります。今までぶらんこに乗つて遊んでゐた女工さんも、あちこちのすみで話をしながら待つてゐた女工さんも、一せいに工場の中へはしつて行きます。すると今までしんとして物音一つしなかつた工場の中から、にわかにモウターの音がごう〳〵と聞えて来ます。私の工場はかとり線香を作つてゐるのです。中にはいつて行くと鼻をつくやうなきついにほいに、いきがつまるやうです。先づ目につくのは、女工さんが一生けんめいに線香をまいてゐるのです。小指を使つてする〳〵とまくさまは、いかにもおもしろさうです。この前の日曜日お友達が見えたので、一緒に工場を見に行つて、くづをもらつてまきましたが中々上手にまけませんでした。やさしいやうに見える事でも、やつてみると中々むづかしいと思ひました。巻く所を通りぬけると箱づめしてゐる女工さんが沢山ゐます。すつかりかたまつたうづまきを一つ一つ手ぎはよくさつさと紙の袋につめて行きます。お話一つしないで一生けんめい働らいてゐます。

　女工さんと言つても支那人で、大てい私ぐらゐの人が多く、中にはまだ私よりずつと小さい女工さんも沢山ゐます。」（下略）

尋常五年生と言えば、せいぜい十二三歳であろう。

また別のところで、レウィ・アレイは次のようにも報告している。

「上海電力公司《シャンハイ・パワー》はもと市営（上海共同租界工部局電気庁—筆者註）として出発したが、後にモルガン財閥系のエレクトリック・ボンド・アンド・シェアに売られ上海電力公司《シャンハイ・パワー・カンパニー》と名を改めたものである。一体、公共の財産が世界でももっとも悪質な外国トラストの手に売られるについて、どんなごまかしが使われ、ワイロが使われたものか、それは別として、私の関心をもったのは、何名かの労働者が自動的に石炭をボイラーに流し込む装置に落ち、石炭と一緒に炉のなかへ運びこまれる、という点にあった。私はアメリカ人の支配人を訪問し、粉炭の山の上で裸で働いている労働者には、（安全のための）軽い鎖とベルトが必要なこと、それがあれば、粉炭が下から凹んで来てもいっしょに落ちることが防げると説明しているあいだ、物思わしげに葉巻を噛んでいたが、やがて、このクリスト教国の代表者は『クライスト！』と吸鳴り、『もしあの罰あたりどもがもっと注意深くならんとしたら、おれにどう出来るというのだ』といい放ったものである。そこで私はアメリカの法廷と起訴問題にふれてみたが、彼はにやりと笑っただけであった。あの治外法権時代には、外人はおのおのが属する国の法廷で裁かれ、中国の法律外にあった。かくて、その後に労働者が前と同じ具合で死んだとき、法廷は通告をうけたけれども『支配人に話せ』といっただけであった。」

おしまいにもうひとつだけ引用しよう。ことわっておくけれども、私は数々の例のなかから、あまりどぎつくないものだけを引いている。

「夏の上海のあの蒸し上がるような暑熱のなかで、外国人やその家来の買弁屋たちが蔽いをかけた芝生のデッキ・チェアでぐったりし、きょときょとする召使いのもって来る冷い飲物をすすっているとき、子供たちは明け方から夜まで仲間でいっぱいな屋根裏で働かされた。むくんだ顔をブンゼン灯に近づけ、脚は脚気でふくれ上り、汗だらけなからだは、ナンキン虫とシラミの咬傷でただれていた。そんな遠くない将来に、彼らの心臓はとまってしまうのである。心臓は、もうずっと前から膨れてしまっている。

飢饉と洪水、内乱その他内陸のあらゆる面倒事は、いつでも新規な子供たちを波状的にこの町へ提供し、彼らは小企業を営む町のごろつきかギャングどもに買われる。こういうごろつきどもは、沢山いたのである。

このたぐいのものの最悪最低の一つは、上海の北京西路にあって、ここの経営者は、子供たちを提供させるために孤児院に補助を出していた。この経営者は、型抜き機《パンチ・プレス》を並べ、それでもって電球のソケットをつくっていた。子供たちは、この機械の傍で眠り、十四時間労働をさせられていた。工場は各機械の上に裸電球をつけるだけで照明はなく、門のところには子供たちの逃亡を防ぐための武装した番人がいた。職制は遠慮会釈なく子供たちを殴りつけた。

『児童福祉協会』から送り込まれて来る孤児の一団は、結局どれもこれも早く回転し安全施設のなんにもない型抜きで怪我をした。二十九人の子供のうち十一人が手足をもぎとられ、あるとき働いていた六十四人の子供のうち、三十人以上が指あるいは指先をとられていた。二カ所以上切断傷をした子供は、自力更生しろというわけで町筋へ放り出され、裏町やレストランの屑箱をあさって他の浮浪児たちと戦わねばならなくなる。そして経営者はアヘンを吸い、原料である真鍮は日本から来て製品は南米へ輸出され、そこで労働者の賃金を引下げるのに役立つというわけであった。」

私もまた、そういう不具や半不具ともいうべき子供たちが、狼のような眼つきで町をうろつき、組織的にレストランや、戦後では米軍宿舎の裏にたかっているのを毎日眺めていた。それは今日の「子供、子供の上海」となんとはげしい対照をなすことだろう。当時下層階級の子供たちは、ほんの少しばかり誇張して言えば、都会では塵芥《ちりあくた》にまみれ、農村では泥にまみれていた。

レウィ・アレイは、こういうはなしを、後日“The Challenge of Red China”『紅色中国の挑戦』という本を書いたガンサー・スタインにもしている。スタインはこれに対して、「君はよく我慢が出来るね」といっているが、レウィ・アレイ氏は、中国を訪れた外国人ジャーナリストたちの案内役のようなものであったらしい。アンナ・ルイズ・ストロング女史もまた彼の世話になっている。が、ストロング女史は『中国人は中国を征服する』という著書では、アレイを濠州人だといっている。そして、ついでにいえば、彼女はアレイの合作社運動は、国民党治下では貪官どもにいためつけられてあまり発展しなかったが、一九三九年、彼が延安を中心として十カ所に支店を有する合作社をはじめ、一九四五年には辺境区全域に二十六万五千七百七十七人の会員を有する八百八十二の合作社を組織した、と報告している。

私はこれらの資料を主として横文字のものによったが、われわれの同胞の手になったものもないではない。私の知る限りでは、少し古いけれども一九二五年、五・三〇事件が起り中国共産党が四全大会をひらいた年に上海で刊行された、宇高寧という人の『支那労働問題』という本がくわしい。この本は、〝前内務大臣、現宮相、法学博士一木喜徳郎〟の題辞をもち、〝内務省社会局長官長岡隆一郎〟の序文がついている。もとより日本帝国主義の「支那労働問題」対策に関する本であるが、共産党に関しても概説的なものではまったくなくて、資料的に相当くわしく、ここでも日本では、反革命の方が資料的に深くくわしく、自らを武装していたことの一つの証拠がむき出しにつき出されてい、これを逆に読んで行けば、五・三〇事件前後から「支那労働問題」が次第に帝国主義の手におえなくなって行く様を如実につかむことが出来るであろう。

ところで、長々と引用ばかりして来たが、はじめのF・L・ポットの、外人及び買弁資本家についてのまことに勝手気ままな叙述と、レウィ・アレイの、労働者たちの悲惨な状況に関するところとを比べてみよう。あるいは、そのへだたりと、へだたり自体の中味を考えてみたい。その中味こそが、実はかつての上海という町に特有であった魅力、あるいは魔力みたいなものをかたちづくっていた筈である。

もちろん、すべての白人が「大班」、大金持だったわけではない。ソヴェト革命後に、一九二三年に白系ロシア人の先発亡命者三百名が上海に到着し、金持ちの白人たちの困惑の種が一つ増えた。すなわち彼らのあるものは行商人となり、また中国人に立ちまじって労働者になり、中国人の金持ちやレストラン、ホテルの門番になり、窮しては女は淫売になり、裸踊りのスターになったりした。また、ナチがユダヤ人弾圧をはじめたときには、貧窮ユダヤ人の亡命者が楊樹浦の一部にかたまって住みはじめた。このうち、白系ロシア人の方は、旧仏租界の岳陽路北端に故国をしのぶよすがとして、醵金《きょきん》して詩人プーシュキンの胸像をたてたりした。この胸像は、しかし、日本軍が心なくも銅鉄回収のためにも台座からとりはずしてどこかへしまい込んでしまった。戦後になってからもそれは出て来なかった。一九四六年になってから、自分のことをいうのも妙なものだが、私は妙に責任を感じ、中国人の友人とともにこの胸像をもとめてあちらこちらの倉庫をたずねまわったことがあったが、ついに見付からなかった。それは結局行方不明のままになり、その頃やはり上海にいて、一時は古道具のブローカーのようなることをやっていた石上玄一郎君が見つけたといった噂もあったものだが、それもデマであった。そして上海解放後に、今度は中国共産党が新たにこのプーシュキン像をつくり、もとの台座においた。以前のそれは眼を下に向けた小さないいものであったが、いまのプーシュキンは、勇しく眼をつり上げて天の一角を睨みつけていると見受けられた。もっとも、もう詩人プーシュキンにあたたかく見下してもらうべき白系ロシア人などというものは、極めて少数しかいないのだ。大部分は、戦後にソ連国籍をとって帰国したか、あるいは国際連合の難民機構の手で南米その他へ移住してしまったし、ユダヤ人たちはボルネオ及びイスラエル国へ戻った。あるいは行ってしまったのである。私は、はじめてこのプーシュキン像を見たとき、外国へ集団的に出ると、必ずばかでかい鳥居をおったてる日本人と、詩人の像をつくるロシア人の対比に、ある感慨を催したものであった。

しかし、それはそれとして、もういちど、ポット氏とアレイ氏の時代に戻ろう。私は、都会の魅力をうたった最高なものの一つとして、たとえばボオドレエルの詩の「悪の華」や散文詩「パリーの憂鬱」などを思い浮べることが出来るが、けれども、私たちの(といってわるければ)、私の「都会の魅力」という概念にこびりついているものをよく検討してみると、その奥の方に、ほとんど絶対的な要素あるいは基礎として、〝貧窮〟というものがついてまわっていることに気付くのである。少し上品(?)な具合にいい換えるとすれば、消費の自由と不自由、あるいはひどい話ながら正直にいうとすれば、なにほどかでも人権無視の可能性、不可能性ということにそれがかかわっていることに気付く。都会の魅力、あるいは神秘は、必ずといっていいほどに住民のある部分がまったく非生産的な、ひょっとして公けの保護を得られないかもしれないようなことに従事していること、それから、要するに社会から放ったらかされてどん底の暮しをしていること、などと切りはなしがたい関係があるらしいのである。かくいう私とても、なにも乞食、淫売、バー、キャバレ、逆クラゲ、無頼漢、ギャング、スリ、カッパライ、ルンペン、グレン隊、投機、囤積などが都会の魅力を構成するなどというつもりは毛頭ないけれども、それはしかし、どうしても悪、あるいはより厳密には――そういうことが厳密になることであるかどうかの議論は一応別として――社会悪と関係がある。ボオドレエルの詩や散文詩から、その材料になっている社会悪の諸相を、一つ一つ抜き出して、パリーの全人民、全市民が総がかりでもってこれを退治し征伐しようと努力し、それになにほどかでも成功したとしよう。すると、恐らく、ややこしいいい方だが、ボオドレエル詩類似のものを新たに考える、それをうたうことはむずかしくなろう。この征伐が徹底したとすれば、それが徹底した後の新しい世代は、ボオドレエルの詩をまともにうけとることを、ひょっとすると拒否するかもしれないし、註釈つきでしか理解しないかもしれない。社会悪による悲劇の在る社会と、政府をはじめとしてその悲劇を征伐しようと待ち構えている社会――そこには前者とは質のちがう悲劇が恐らくある筈であるけれども――とのひらきがそこに出て来るであろうと思われる。草野心平氏によると、ヴァレリーの序文をもらって陶淵明の仏訳詩をパリーで出版した詩人の梁宗岱氏は、現在広州の中山大学でフランス文学を教えているというが、蠅や蚊を全人民総がかりで叩き殺すように、旧社会の、悪の一切を総がかりで叩き潰し一掃することを建前としている国で、梁氏が熟知している筈のボオドレエル詩を若い世代に教えることは、なかなかの難事であろうと思う。またこの辺のところから、資本主義国の革命運動、革命政党に対する過大評価、あるいは過大な期待が生じることがあるかもしれない。そして、社会主義国で、ドストエフスキーの人気がないということの現実的な基礎も、あるいはこの辺にあるのであるかもしれないと推察される。ド氏やボ氏の表現し得た人間性の本質は、恐らく不変、永遠であろう。けれども、それを表現するについて使われたメディアが一つ一つ公共の、つまり人民の征伐退治の対象になるとき、どういうことがそこに起るか。

ボオドレエルやパリーのことをひきあいに出したが、私は東京のことを考えているのである。現在の東京ほどにも底なしのところは、世界でも少いのではなかろうか。東京のストリップ・ティーズに比べれば、かっての魔都といわれた上海のそれなどは、まことに興行などとはいえないほどの、お寒い程度のものにしかすぎない。しかもそれは食えないからこんなことをしているのだ、というものが露骨に出ていて、それを見ているには相当な神経が必要であった。資本主義社会において、社会悪を退治することがまったく不可能であるなどとは私は思わない。けれども、私にわかったことは——私は経済関係のことはよくわからないが——資本主義社会と社会主義社会の真の対決は、社会悪の問題においてなされるであろう、ということであった。がしかし、若い学生たちと話しながら、私はこの若者たちが、もしかして持つかもしれない悲劇というものはどういうものだろうか、と考えつづけていたが、はっきりとつかむことは出来もしなかった。そしてここで私は、これは要するに感じということにすぎないが、小説家として矛盾を感じる。私は、一人の生活者としては資本主義的不安定の面白さよりも、社会主義的安定の方がよいにきまっていると思っている。早い話が、私は自分がうけたと同じ程度の教育を自分の子供にさずけてやれる自信がない。けれども、一人の資本主義社会のなかに生きる小説家として、仮に防腐材料や蠅叩きが四面四方にある社会に、突然（突然などということはありえない、それは各人の意志的努力、それこそ血と汗と涙なくして出来るわけのものではないのだが）――仮定として、突然眼覚めたとするならば、私は恐らく手なれたメディアを失って、一時は大困りに困るであろうと思う。文学が、要するにこれはたとえていってというにとどまることだが、蠅叩きのためのメディアになることに、恐らく私は我慢出来ない――そういう仮定をしてみよう。これはあくまで仮定にすぎないけれども、この辺のところに、社会主義社会において、屢々作家が大きなもめごと、政治的なもめごとを惹き起すことのみなもとのようなものがあるのではないか、と推察されるのである。自由の質、あるいは方向が完全に異って来る。ここで一つはっきりことわっておきたいことは、文学に関して中国の現代文学が蠅叩きメディアになっているなどといっているのではまったくないということである。けれども、この蠅叩きメディアになりかねない、あるいはさせかねない政治的、社会的潮流から文学が独立しようとするとき、その方向の如何によっては、反革命、あるいは修正主義、または芸術至上主義、右翼偏向というような政治的非難、蠅叩きが加えられるということは、どうもありそうにも思う。とにかく、私は社会主義社会における文学の在り方、その役割について、どうにもぴたりとわかって来ない盲点のようなものが自分にあるらしいと感じる。社会主義と文学の問題は、決して解決済みのものではない。それは恐らくその土地に住み、圧迫と革命闘争と解放、建設のためにつづけられる革命的思想闘争などの、血みどろな闘いをともにしなければ、どうしてもわかって来ないようなものであろう。けれどもその上で、こと文学に関しては、そういう闘いを実際にともにしなくても、読むだけでわかるものがなければならない筈ではないか、という疑問ものこってしまうのである。また、文学小説というものが、矢鱈と栄える、あるいは栄えた時期というものも、人類史全体という大きな観点に立てば、そんなに長いものでも絶対的なものでもないかもしれぬという考えも、出て来るかもしれない。また考えてみれば、資本主義社会における文学芸術という問題も決して解決ずみのものではない。それは極端に誇張していえば、敵対しているかなれあっているか、どちらかであるらしい。資本主義社会と社会主義社会の並存、対立は、人間とその社会の存在の仕方、その成り立ちについて徹底的なことを考えさせる。今日、世界の文学と哲学は、やはりこの問題をもっとも喫緊《きっきん》なものとして考え抜くことを要求していると思われる。とにかく、私自身を含めて、われわれの小説文学には、社会にあるデカダンスな部分を、養いとして、というよりはむしろ、それによりかかっているものがあまりに多すぎるのである。

ところで、都会の魅力、あるいは魔力、あるいはその化粧について考えているうちに、例によってということかもしれないが、とんだところまでつっぱしってしまった。

そこでもとに戻って、かつての「冒険家的楽園」といわれた以前の上海のことを、中国の人はどう思っていたか。私は、かつて宣伝部で私の上役であったFさんという中国の人を思い出す。このFさんは貴州省の地主出身の人で、忠実で清廉潔白な国民党員であった。年頃は四十くらい、日本軍爆撃下の重慶で長年苦労をして、勝利後に上海へ単身出て来た人であった。単身でというのは、インフレーションが猛烈に進行している戦後の上海で大家族を養うことは不可能であると判断したからである。

あるとき、このFさんと私は黄浦江に添ったバンドを歩いていた。軽薄なところのある私はお世辞がいいたくなった。

「とにかく、重慶からここへ出て来られて嬉しいでしょう」

するとこのFさんは、途端に眼をむいていった。

「どうして？　勝利は嬉しいが、こんな都会は、私は昔も嫌いだったし、いまはなおさら嫌です」と。

Fさんは、黄浦江上にいるアメリカの軍艦を指さし、ついでアメリカ軍の宿舎になっていたブロードウェイ・マンションという二十数階のアパートメントを指さし、やがて腕をぐるりとまわしてバンドに立ちならぶサッスーン財閥のサッスーン大楼や、ジャーディン・マジソン会社や、香港上海銀行などの建物を示して、

「いつまでこれがつづくのだろうか、と私は思います」

といったことがあった。そしてバンドから盛り場の南京路へ入り、そこに売っているもの、国際連合の戦災地救済機関（UNRRA《アンラ》）から流れて来たヤミの品々、それにプラスティックのハンドバッグからアメリカ製ウイスキーやら南京豆の缶詰めなどの町に溢れた品々を一つ一つさし示して、

「アメリカがこんなものまでもって来て中国を救済してくれたのでは、中国の民族産業は潰れてしまいます。救済されすぎて昇天してしまいます」

と悲しい声でいったことがあった。乞食の少年が執拗につきまとうと、Fさんは恐ろしくきびしい表情をつくって、その少年の群れを叱りつけたりした。その表情のきびしさには、まったく独特のものがあって、私は、これが中国の大地主の土性骨かな、と思ったりもしたものであった。Fさんと私は、異臭のする狭い路をぬけて電車に乗り、所用のあった旧仏租界の亜爾培路《アルベー》（フランス名はAvenue de Roi Albert）に行き、帰りにFさんは私をひっぱって近くの馬斯南路《マスナン》（Rue Massenet）に出た。そこでFさんは一軒の立派な洋館を指さし、

「これが中国の癌です。これさえなければ、中国は抗戦勝利をきっかけにして立ち上れるのです」

といった。このFさんが指さした建物は、国共談判のために南京へ来ている周恩来を長とする中国共産党代表団の上海弁事処であった。

「これさえなければ、アンラの救済物資も中国全体に行きわたるのです。交通運輸が内戦でメチャメチャになっているために、船載される物資はぜんぶ上海に停滞してしまって、公然たるヤミと投機の対象になってしまいます」

と真剣な声でいった。実際は、共産党による解放区向けの救済物資は、CRARAという解放区だけを対象にした特別の機関があったのであるが、内戦のために行渡らないことは事実であった。そして、上海に中国の工業、軽工業のほとんどが、集中していたために、これらの物資によって産業が救済されすぎて昇天しかけていることも事実であった。私たちが話しながら共産党の代表部の前を通りすぎると、この立派な建物のなかから、綿入れのブクブクした粗末な服を来た男が二人出て来た。いかにも延安の穴倉住宅で質素な生活、上海と比べればまったくの困苦欠乏の生活に耐えている人という感じが如実にあらわれていた。それが共産党員というものをあきらかに見たはじめての経験であった。とにかく、立派な背広以外のものが出て来るとは到底思われない建物から、つんつるてんの綿入れ服の男が出て来たその光景は、なんとしても異相なものであった。それが私の眼に灼きついた。Fさんは、あれは誰とかと誰とかだと名をいったが、私はそれを忘れてしまった。

そこからの帰り途で、Fさんは、中国上層部の一部に、アメリカの手による国共調停ではなくて、マッカーサー元帥とその軍隊による代理統治を望む声があることを語り、それを静かな、しかし断乎とした口調で非難した。つまり、日本はマッカーサー元帥の手でうまく管理され、民主化も進み、復興も緒についている。だから中国をもついでに管理してもらった方がいい、という議論があったのであった。Fさんは中国の危機を救うのに人民に頼まずにアメリカに頼むというのは、不甲斐ないことだ、と怒った。

「蔣主席は偉大な指導者です。しかし、周囲が悪い」

とFさんは説明したが、戦後の国民党内では封建的地主的勢力よりも、買弁的、官僚資本家的要素の方が優越していて、そのためにFさんも出世が遅かったのであった。

Fさんは個人としてはきわめて真面目な人で、立派な国民党員でもあった。かなりの高級官吏であるにも拘らず、どんな誘惑にものらず、薄給で郷里からの送金もうけず、従って上海での生活には、単身ながら困り抜いていた。このFさんも、いまどこでどうしているか、私は知らない。従って以下は、私の空想というものだが、今日の解放後の上海について——悪夢のようなものは一掃され、どこにも異臭というものがなく、あらゆる意味で清潔で、清潔すぎるほどで、キレイサッパリとして、完全に中国の都市になり、工業は発展途上にあり、生き生きとして元気で陽気な子供ばかりが眼立つようになってしまった上海について、Fさんはどう思うであろうか。郷里の土地は分配されてしまったであろうが、また共産党は相変らず嫌いであるかもしれないが、少くとも今日の上海については、真面目な国民党員であったFさんは、それが中国の都市にかえったことを不幸には思わないだろうと思う。

　私が、ばかに風通しがよくて、どの通りも見透しで、とにかくガラーンとしとるな、なんだかへんてこりんな感じだな、と思ったのは、要するにそれが中国へ復帰したということなのであろうと思う。

　極めて質素な中国が、ガワだけ西欧植民地主義がおったてた植民地風な、威張りちらしてそっくりかえった大建築物群のなかへおさまった、その一種異様な不調和感、私たちの方から見ての違和感のようなものが、私にそういう風に思わせたものであったろう。私はむかしのサッスーン・ハウス、いまの和平賓館のなかにも入ってみたが、豪華なシャンデリアの下を、詰襟の中山服や菜ッ葉服を着た何かの機関の幹部たちが往来している光景は、たちまちかつての、馬斯南路の中共公館から出て来た綿入れ服の延安から来ていた人の姿を思い出させた。

それが中国へ帰った、復帰した、ということは、要するに逆にいえば、中国の農村が上海に侵入して来た、ということなのだ。中国農村が上海を外国資本から解放し、その上海が農村に仕える、〝服務〟するものとなった。上海が農村を支配し、搾取するというのではなくて、農村が上海に侵入し、いわば、農村にひきもどされ、それにつかえるものとなった、ということなのだ。なんとなく田舎臭くなったな、とも私は思った。上海を解放した主力は、上海の労働者でも学生でもなくて、農民兵であった。上海の存在は、農村の方へ重くかかるようになり、その顔は、封鎖のつづくあいだという一時的なものかもしれないが、海彼へではなくて、内陸の方を向いている。黄浦江添いのバンドの建物を見ていて、私は中国の裏門、裏壁を見ているような気がした。本舞台は、内陸の農村なのだ。だから、この都市のにぎわいは、その質と内容を変えてしまった。どこにも吉普女郎《ジープ・ガール》（日本でいうパンパンのことをジープ・ガールといっていた）などというものもいなくなってしまった。現在のこの都市のにぎわい方の性質と、植民地風な建築様式とは、まったく不釣合なものに感じられる。妙にチグハグな感じがするのだ。恐らく新しい建築様式が求められているのである。中蘇友好大厦などに見られるソヴェト式なばかにごつい、堂々としすぎている建築様式も、ふさわしいものではないと思われる。

しかしとにかく、上海が中国に帰り、世界のならずもの、〝冒険家的楽園〟が人民の所有になり、中国が中国をもつにいたった変革解放を眼にして、そこで私が途方に暮れたとあれば、問題はそういう私自身にあるわけである。

たとえばサッスーン卿という男について

有名なホテルであったキャセイ・ホテルを含む、サッスーン・ハウスの親玉であるサッスーン一家の歴史を研究してみれば、恐らく西欧帝国主義のふくれ方とその手口と運命が明かになるであろうと思われる。サー・ヴィクター・サッスーン一家は、一九三一年に上海に移転して来る以前には、インドのボンベイにいたのである。その前には、一八三二年以前は、彼等はバグダッドにいた。上海開港直後も、手先をつかってアヘン貿易をやっていた。ボンベイをはなれたのは、インドの政情不安（！）と、上海租界の安定性（！）及び租界である上海が税金安なせいであったといわれている。日本軍の上海占領以前に、またはなれ、現在は南米にいるということである。もし南米に民族解放運動が起ったら、アフリカへでも行くだろうか、それともアメリカへ行くか、英国へ戻るかするだろうか。バグダッド↓ボンベイ↓上海↓南米、このコースは何を物語っているか。ともかく、この男が、上海の面貌を「近代化」するのに大いに働いた。キャセイ・ホテル、メトロポール・ホテル、ハミルトン・ハウス、エムバンクメント・ビルディングなどをつくり、私たちがとめられた現在の錦江飯店、その前の日本十三軍司令部であったキャセイ・マンションズをもつくったのであった。上海には、こういう名物男みたいなものがいろいろといたのである。市のどまんなかに数千坪の広大な土地をもっていて、そこに名を「愛儷園」、通称哈同《ハードン》花園といわれる、「紅楼夢」中の大観園にかたどった一大庭園つきの屋敷をつくった、馬の眼を抜くようなしたたかな商人であって、同時に趣味として古き中国を愛し、仏教に帰依したとかという噂もあったサイラス・エァロン・ハードンという男もいた。このハードンなどという男がもし生きていて現在の中国を見たら、ロベール・ギランとともにこれは中国ではない、というかもしれない。この花園は、しかし、私などの知っていた頃は、敵産として封鎖され、草ぼうぼうになっていた。ここに、現在、巨大な、中国流にいえば万丈高楼平地ニ起ルとでもいうべき中蘇友好大厦が立っていて、夜は赤い星がきらきら光っている。日本の商品展覧会などもここでひらかれた。もし、将来、アメリカ商品展覧会がひらかれるとすれば、それもこの中国ソ連友好大厦がその場所になるであろう。この哈同《ハードン》花園から少しはなれたところに、競馬場があった。英国人にとって競馬場というものは、なくてはならぬものであるらしい。カルカッタにも、町のどまんなかに競馬場のあとがあった。これは、戦時中、日本軍の高射砲陣地となり、戦後は米軍の練兵場になり、現在はこれを半分にぶち切って、真中に幅の恐ろしく広い道路を通し、こうして半分は人民公園、もう半分は人民広場にしてしまった。この広い道路には電柱はない。電線はぜんぶ地下におしこめてしまってある。人民公園には、もとのレース・コースを掘りかえして池をつくり、そこにやわらかい感じの柳を植えた。英国の東洋貿易のチャンピオンであり、いまもそうであるバンドのジャーディン・マジソン洋行は、かつて日本海軍が接収して、海軍武官府をおいていたが、そこは対外貿易局となった。恐らくこの対外貿易局は、もとのジャーディン・マジソンの建物に陣取って、香港その他のジャーディン・マジソン洋行自体と交渉をしているであろう。同じことは、日本の正金銀行(いまの東京銀行)だった建物にいる中国人民銀行についても将来起るであろうと思われる。私は戦時中、猛烈なインフレーションのためにどうしても御飯が食べられなくなり、この海軍武官府にいた知人に、名目だけ、無給の嘱託ということにしてもらって、一時昼食を食わせてもらっていたことがある。ジャーディン・マジソン洋行・海軍武官府は、私にとって、昼食のための食堂であった。まるで、文字通り乞食であった。私は茫然として、この対外貿易局の建物を見上げていた。パレス・ホテルには、基本建設の主役である建築工程部華東工程管理局がいた。英国のアジア金融の総本山である香港上海銀行には、上海市人民委員会（市役所）と、中国人民解放軍上海市軍事管制委員会がいた。この建物の玄関には、英国の象徴である兇猛な感じのライオンの銅像があって、これの足をなでさすると金が儲かるという伝説があり、いつもピカピカに光っていたものだが、ライオンは姿を消していた。江海関（税関）は、上海市工会（労働組合）連合会になり、アメリカ総領事館は、放送局になり、英国総領事館は、英国僑民事務所になっていた。英国は中華人民共和国を、形だけにしろ、承認している。アジア各地に支店をもつ、英国製の豪奢な品々を売る百貨店、ホワイトアウェイは、国営上海市百貨店第三商店になっていた。ノース・チャイナ・デーリー・ニューズは、中国人民保険公司になっていた。私の住んでいた家の近くにあった中華洪門総会と称される、なんでも紅幇類似のものと聞かされていたギャングスター（？）たちの会館は、上海市国営貿易企業職工医院外科病房という病院になっていた。メドハースト・アパートメントは、冶金工業部となり、かつて武田泰淳がいた東方文化編訳館の建物は、共産主義青年団となっていた。そうして、私自身がつとめていた（？）国際文化振興会上海資料室のあった、これも英人所有のケリー・アンド・ウォルシュ書店ビルは、紡織工業部供銷総局供銷分局というものになっていた。ここで、つとめていた、というところに？印をつけたのは、当時インフレが烈しくて、なにひとつ仕事らしいことは出来ず、また無く、つとめているのやらいないのやら、まるでルンペンみたいな有様だったからである。かつ、住居であった旧共同租界奥、愚園路のフラットは、家用器具公司のアパートになっていて、三階建てのちょっとしゃれたアパートだったのが、いささかうす汚れて、いかにも田舎から出て来た、あるいは上海での下積みのところにいた人が、いまは住んでいるらしいと推察された。

ここにその旧名をあげた企業の数々は、香港にいる。帰国の途上、香港によって、そこでどれもこれもが健在なのを見て、私は再び別な意味で茫然とした。ノース・チャイナ・デーリー・ニューズは、香港でサウス・チャイナ・デーリー・ニューズとなり、紙も活字の書体、組み方もかつてのノースのそれとまったく同じであった。インドのカルカッタやボンベイで、またその時の帰国のときに香港でこれらの企業の健在さ加減を見たとき、私は、なるほど、と思ったのだったが……。

上海の十日間は、強烈な経験であった。かつてそこに住んでいただけに、またかつてルンペンのように無鉄砲にあちらこちらとふらつき歩くことが好きだったおかげで、大ていのところは見知っていたために、何を見ても、以前の有様がそれにかさなって来るのである。しかし、だからといってそれは私の観察の正確さを保証するものとはなりえない。それはそれだけのことである。ほとんどその一切が様相を、それこそ革命的に変えているとき、人は懐旧の情にふけるわけにも行かず、といって、日本の戦災都市が一変して復興したのとは違い、たとえば建物ならば、建物は、実にむかしのままにそこにあるのだから、以前の映像とそれがかさなるのをさけることも出来ず、奇妙に困惑してしまうのである。

私は思うのだが、日本のあの開国期に、裏側の事情はいざ知らず、東京や大阪に、上海やカルカッタのような面《つら》をほとんど呈させなかった日本資本主義建設者たちの能力を不当に評価することがあってはならないのである。

III

町あるき

先にも言ったように、むかしの知人たちのアドレスも現在の仕事もわからなかったので会うことは出来なかったが、それでも二人の旧知を見つけ出した。一人は日本人の画家である阿部正捷氏である。阿部氏は三十年前に事情あって日本を離れた人で、現在は上海の博物館に仕事をもつ人であるが、何分、三十年前とはいえ、事情あって日本を離れた人であるから、この人のことを書いてもいいものかどうかためらわれるので、ここでは書かないことにしたい。

で、もう一人は、これはまったくの偶然に、向うが見つけ出してくれたのであった。私がただ一人で、案内の人もなにもなくて愚園路の、むかしのアパートを見に行ったとき、その近くに病院があり、その病院をも、私はなつかしい気持で眺めていた。そこに一九四五年の夏、ある女が一月ほど入院していて、私はしげしげとその女を見舞いに行った。そうしてそこに一人の看護婦がいた。この看護婦が、いつも私に見舞いに来るのはいいけれども、こんなに夜遅く来てくれては困る、と文句を言った。また、その病室で、病人に貸しておいた私の時計が紛失したとき、この看護婦に、ここぞとばかり私の方から文句をまくしたてた。だから、そうそう親しい関係ではなかったというわけである。

私がそれらのことを回想しながら、その病院の窓を見上げていた。すると、窓の中に一人の女の顔があらわれ、途端にその表情がかわった。ぼんやりな私は、その看護婦の顔を完全に忘れてしまっていたのである。窓から顔がひっこんでしばらくすると、白衣の女が病院の玄関からとび出して来て、私の方へ突進して来た。それではじめて私はむかしのことを思い出した。

彼女は、かつてアメリカ人の病院で訓練をうけていたので、英語が話せた。それで、二人は二人とも英語と上海語をまぜまぜにして話をした。はじめ、彼女はむかしのことを思い出して、さんざんに私をひやかした。あのとき、あなたの時計がなくなったその嫌疑を私にかけたというのは、いま思い出しても腹立たしいなどという話までを、実に一瀉千里《いっしゃせんり》、立板に水で彼女は喋った。また彼女は、かつて入院して来た様々な日本人の名をあげて、みな元気でいるだろうか、と言い、私の周辺の人々の消息を聞き、十分くらいは一人で喋り抜いて、それだけ喋ってしまうと、やっとこれでせいせいしたという風に両手を拡げてみせて、やがていまの上海をどう思う、と訊ねて来た。それは私の方でも彼女に聞きたいことだったが、私はそれに答え、ついで私の方から彼女に同じ質問をした。その返答が私の印象に強くのこっている。彼女はまずことばではなくて、身をかがめて両の掌を地面にくっつけ、ついで地面をもち上げるようにして、簡単に、「人民起来了《レンミンチーライラ》!」と言った。私は、なるほど、と思った。

それで、日々の生活はどうか、と問うと、別段に不満はなく、以前のように病院の管理当局や薬局が会計をごまかしたり、病人を絞り上げたりしなくなったことが気持がよい、けれども、革命はなお進行中なのだから("Revolution is still going on,")、学習をしなければならぬ("We must study hard.")。と言ったとき、心持ち眼を伏せたことから、学習というものが楽ではないということかな、と思ったのは、要するに私の方の思い方というものであったろうか。それとも、年月がたって現在では婦長のような地位にある彼女が、このとき進行中であった反右派闘争で下部から手ひどく批判されているということででもあったのであろうか。

(ついでのことに、ここでこの反右派闘争なるものに少しふれておけば、前記阿部正捷君と、もうひとり中野重治氏の知り合いであった台湾生れの人との、この二人との個人的な話し合いの結果、私は、反右派闘争というものが、三反五反などの思想的整風運動の一つ、あるいは一応の終結段階のものであって、これは下部からの、局長、部長などの上層幹部に対する批判の運動であるらしい、とうけとった。社会各分野の幹部階級にある一つの気分、革命の成果も大分上って来た、ここらでひと休み、もうそろそろいいじゃないか、という気分に対する下部からの痛烈な批判、そういうものとして私は理解した。）

ところで、日本敗戦の折に、ああこれでまたアメリカの映画が見られるようになる、と彼女が言い、私がそれをコン畜生め、というふうにうけとったことを思い出して、好きなアメリカ映画が見られなくて困るだろう、と言ってみたのに対しては、いや、その代りにソヴェト、イタリー、フランスなどの映画が見られるからそれで充分だし、イタリー映画はアメリカのこけおどかし映画よりも面白い、と言ったのは、負け惜しみというものではなくて、彼女自身がもう三十歳も半ばを過ぎかけているせいであったろうか。

別れに際して、私がこのあたりの大道でタバコや南京豆などを売ってボスにしぼられながらやっとかつて生きていたおっさんや子供たちの消息を訊ねると、六時頃までここにおられないか、その頃に工場から帰って来るのだが、と言ったが、その晩、私は宴会に出席しなければならなかったので、よろしく伝えておいてくれ、としか言うことが出来なかった。私がいちばん親しくしていた門番一家は田舎へ引揚げていた。小金をためて田舎へ帰るというのが彼等の理想であった。二人いた夫人たちを、あるいは夫人たちは、どうしたであろうか。朝毎に、第一夫人と第二夫人が交互に髪を結いあっている風景は、まことに興深いものであった。

よくも覚えていてくれたものであった。私はこの邂逅《かいこう》を心に深く喜んでいる。写真をとることを忘れてしまったのは遺憾至極であるが、この邂逅の後にはじめて、私はいくらか余裕のある気持で上海を見ることが出来るようになった。たとえほんの少し、かけっぱしほどであろうとも、人間と人間との往き来、つきあい、内部と内部とのふれあいというものは、まったく不思議なものだ。もとよりそれはわかりきったことであるが、それを欠く場合には、多くの人間の住む一つの都会といえども、要するに一つの対象であるに止まり、つまりはモノにすぎない。もしこの邂逅がなかったならば、私はこんなふうな順序も段取りもないような回想を主にしたようなものは書かなかったであろう。もっときちんとした客観的な報告を書いたかもしれない。

この旧居や病院附近の町筋を歩きまわりながら、その町の建物の壁を見て、私は一つのことを思い出した。それは一九四五年八月十一日の朝のことであった。

その日、私はなにも知らずに家を出た。町には青天白日満地紅旗がちらほら見えた。不思議なことがあるものだ、今日は何かの旗日でもあるのだろうか、と思った。けれどもその旗には、公式のときにつけることになっている「反共建国」という南京政府の、旗とは別に、旗といっしょにつける会符がついていなかった。

ということに気がついても、つまり、旗は重慶国民政府の旗を意味するということに気がついても、まだその次の意味にまでは気がつかなかったのだ。

ふと通りの建物の壁を見ると、そこにべたべたとビラがはってあった。その文句には次のようなものがあった。

八年埋頭苦幹　　八年頭を垂れ苦しみがんばった
一日揚眉吐気　　この朝我等眉を揚げ気を吐く
慶祝抗戦勝利　　抗戦の勝利を祝す
擁護最高領袖　　最高領袖（蔣介石）を擁護せよ

還我河山
河山重光

実現全国統一
完成建国大業

一切奸逆份子撲殺之
歓迎我軍収復上海

国父含笑見衆於九泉
実施憲政提高工人的地位

先烈精神不死
造成一等強国

自力更生

河や山も我等のもとにもどったぞ
河も山も光りをましているぞ

全国統一を実現し
建国の大業を完成しよう

ありとあらゆる漢奸や反逆分子をやっつけろ
上海を収復する我軍を歓迎する

国父（孫文）がにっこり笑って極楽から見ている
憲政を実施し労働者の地位を高めよう

先烈の精神は死なない
一等強国をつくろうよ

慶祝勝利

提高民衆意識　　民衆意識を高め

安定労工生活　　労働者の生活を安定させろ

いまから思えば、まあおろかな話であるが、これらのビラの文句を見て、はじめて私はハッとした。敗れたのだ、と知った。

すなわち、八月十日夜半、同盟通信社の海外向け放送が、日本のポツダム宣言受諾を放送し、この放送を受信したモスクワ放送局が、これを海外向けの全電波を動員して放送し、これを受信した上海の抗日地下組織が直ちに動き出してこのビラをはり出したのであった。そのとき私はこの国と、この都会の底の深さ、底知れなさに恐怖を抱いた。そうして、これらのビラの大部分が、既に印刷されていた、その地下組織の用意周到さにも、まったく愕然《がくぜん》とした。そうして、これらのビラの発行元というか、名義人というか、そういうものになっているものには、いろいろな組織があると思われた。私は遺憾ながらその名義をノートしていない。けれども、いまあげたもののうち、最後のものは恐らく中国共産党あるいはその系統から発したものであったろうし、ポツダム宣言受諾という電波に接して、直ちにそのあくる朝、「提高民衆意識、安定労工生活」という、慶祝勝利とは一応関係のない文句をはり出したその政治意識には眼ざましいものがあると思った。これが、中国共産党というものが現実に、底力のあるものとして私自身の眼に映じた最初であった。また、「還我河山、河山重光」ということばには、日本の占領によって、河山もまた失われ、光りもまた翳《かげ》っていたという気持が背後にあり、それが我ニ還リ、光リヲ重ネルということにも、人を深くうなずかせるものがあった。そうして、次に掲げるものは、八月十五日以後に、日本人が多くかたまって住んでいる地区にはり出されたものであるが、次のようなのがあった。

茫然塹既往

黙座慎将来

茫然トシテ既往ヲ塹《ハ》ジ、黙座シテ将来ヲ慎メ、というもので、これに対して、なにを！　と反撥するには、そのときの日本人たちはあまりにもぺしゃんこになっていた。

また、

目看日傾西

見ヨ、日ノ西ニ傾クヲ、というものもあった。

その頃のこまかいことは省略するけれども、これらのビラの発行元、名義人は、九月に入るというと次第に国民党一本に統一されて行き、民間（？）のものは、国民外交協会という名義のものだけが多くなったり、しまいにはほとんどがこの二者による二本建てになってしまった。調べてみると、この国民外交協会というものは、青幇というギャングスターのボスであり、阿片で巨額の財産を築き、一九二七年の、国民革命当時の上海暴動では、蔣介石、租界当局（そのときの共同租界参事会の議長はアメリカ人で、Stirling Fessenden といった。"My Twenty-five Years in China" John B. Powell, New York, 1945）の両者と結んで労働者、知識階級に対する大々的な白色テロを行い、そのときのことがアンドレ・マルロオの小説『人間の条件』の材料になっているのであるが、そのボスである杜月笙の組織するものであった。杜月笙は、いわば上海の地下市長であったのだ。そしてこのギャングのボスが、市長になって赴任して来るという噂もあり、国民党というものがどういう要素と結びついたものであるかを、次第に明らかにして来た。また、日本軍の敗退後の、秩序というもののまったくなくなった一時期の上海は、ひょっとして地下市長である杜月笙ででもなければ到底秩序維持は不可能であるかもしれないとさえ思わせた。ギャングスターは、名士でもあったのだ。シナ事変がはじまり、中国紅十字国際医療団というものが形成されたとき、杜月笙は宋慶齢女史とともにこれに協力する中国側委員会のボスでもあった。この紅十字国際医療団のなかには、後に八路軍地区で献身的に働き、ついに殉職したカナダの医師、ノーマン・ベチューンもいたし、またチェコ人の医師エルヴィン・キッシュ博士をはじめとする、スペイン内戦のときに人民戦線側に従軍した国際旅団附の多くの医師たちもいたのである。中国革命というものの経緯は、実にいろいろな意味で国際的なものであった。

一九五七年秋、私がひとりで町筋を歩いているとき、壁には、どんなビラもはってなかった。が、町の辻には、ソヴェト革命四十周年をたたえる、赤い、横の幕がはりわたされてあった。

私は三輪車をひろって福世花園というところへ、私も一時いっしょに住んだことのある武田泰淳の旧居を見に行こうとした。その途中、私がときどき三文にもならぬようなものをもって通った質屋は人民銀行の支店にかわっているのを見出し、ハンガリー人のお婆さんがやっていた洋書の古本屋は、そのままやはり古本屋で、そのお婆さんは、老い果てカラス天狗か棒雑巾のようになり、店の前でのんびりとひなたぼっこをしていた。道に迷ったらしくて武田の旧居は結局見出せなくて、大西路という郊外へ出る広い道へ出てしまい、そこではからずも一九四六年の夏頃から暮まで、ほとんど毎日通った旧放送局の建物を見出した。この旧放送局というのは、臨時的なもので、以前は、カイゼルウィルヘルムホッホシューレという、ドイツ人のための学校であったのを、戦後に国民党がナチ・ドイツから接収し、そこに病院と放送局とを設置し、その放送施設の半分ほどを米軍とわけあって使っていたものであった。私はそこへ、中国各地の政情や経済情勢を日本語で放送するために通った。いつも一緒に行った仲間には、日本で生れ育って日本語しか出来なくて、いまも九州にいる、中国人のＯ君などがいた。ここで、この国民党の放送局でおどろいたことは、各放送室の時計が、まるでめちゃめちゃに違っていることであった。私たちの放送は、午前十一時から三十分間、ＸＯＲＡというコールサインを何度か述べ、ついで日本の流行歌のレコードをかけ、それがおわってからニュースを言うのだが、ある放送室の時計は十一時十分前であり、またある時計は十一時四分すぎであり、仕方がないから私たちは、それぞれ自分の、あまり頼りにもならない時計を標準にして、それがさす時刻を勝手に正十一時ということにして、放送をはじめたものであった。これが上海中央広播電台ＸＯＲＡの海外放送であった。出鱈目《でたらめ》も甚しいと言われるであろうが、人々はみな発財（金儲け）にいそがしく、一文にもならぬような海外放送などは留用日本人にまかせておけばよく、まして時計の管理など彼等の知ったことではなかったのである。反面、すこぶるノンキでよかった。一九四六年の暮近く、日本におけるこの放送の聴取率を調べようということが起って私たちは恐慌を来したが、さいわいなことに日本からの返答は、聴取者皆無、というものであった。日本の新聞社も放送局も、政府も、中国の駐日代表部でさえが、まったく耳にもとめていなかった。

またこの建物の入口のところで、その頃、日本語がべらべらで、「私は日本軍と重慶との両方のスパイでやしたよ」とぬけぬけと私に告げた、化け物のようなポルトガル人に出会ったこともあった。

その建物の前を通り、宿舎へ帰ろうとしていると、やはりこの近くにあったドイツ教会の鐘の音が聞え、中国人クリスチャンは解放後に増加しているという説明を聞いたことを思い出し、またこの近くに住んでいた石上玄一郎とそのドイツ人の夫人のことを私は思い出した。

更にそこからの帰り途に、旧仏租界に入り、旧の同孚路聖母院路の角近くにあり、石上玄一郎が（彼にはどういうものか金策の能力があった）ときどきどこかで金をつくって来ては武田や私をつれて行ってくれたマニラ・バーというバーの跡を通ったが、このユダヤ人経営になるバーは、子供服屋にかわっていた。古いアメリカのカタログを見てつくったか、と思われる子供の洋服がショウウィンドウにあった。なお、旧仏租界にある、むかし外人専用であった洋服屋には、東京や香港の流行から見て二年くらいはおくれているのであろうが、それでも恐らくは現在の中国ではもっとも派手なデザインのドレスなどがショウウィンドウに飾ってあった。宿舎である錦江飯店の近くで三輪車を捨て、恐らくは上海にそこ一軒だけであろうか、と私に思われた、これもむかし通ったことのある白系ロシア人の経営になる喫茶店に入り、まずいコーヒーをのみうまいロシア菓子をかじりながら、私は自分を、まるでむかしの犯罪のあとを何年かあいだをおいて見に来た犯人であるか、と思いなしてみようか、とも思ったが、それもふさわしいものではなかった。

　恐らくそれは、中野重治の言うように、青春、というものなのであろう。パリーで青春をおくった人が、年経て再びその都を訪れたとしても、パリーは人気《じんき》や風物の些少の変化を別とすれば、パリーはむかしのままのパリーであるだろうし、あの都はそうある他はないであろう。しかし、ここはそうではなかった。革命がそこにあり、それはなお、あらゆる職場にはり出されてあった批判、自己批判の激烈な、日本人の趣味にはあいかねる、烈しすぎることばを書きつらねた多数の大字報にも見られるように、革命は生き生きとして進行中であった。私は先述の阿部氏に、いくらあなたが三十年も上海に住んでいてしかもこの革命の当初から中国の人々といっしょになって働いて来たとはいえ、こうまでに批判、反批判が激烈で、徹底して道徳的と見える環境のなかにいては、特にあなたは五十をもう越した年になっていて、それで少々シンドイと感じることはないか、と訊ねたことがあったが、謙虚な彼は、いや、まあ外国人の画家技術者として、つまりはまずお客さんとして扱われているせいもあるかもしれないが、別にシンドイというふうには感じない、逆に、はきはきとした態度で、ばりばり仕事を進める若い人たちにとりまかれていると、かえって気持が若がえるし、それにむかしの国民党時代のような、なんともややこしい人間関係、いつもなにかの陰謀にまきこまれやせぬかと警戒していなければならぬということがないから、まあシンドイというよりは、むしろ楽だ、なにか困難が生じたときには、上部下部が車座になって徹底的に討論して切りぬけて行くから、その困難と特別にくっついている特定の人間に気をつかわねばならぬということがないのもありがたい、と答えたことを思い出した。また、不便なことは、と訊ねたに対して、仕事の上では計画がきまっていてそれを進めて行くというふうだからやりやすいのだが、計画がきまっているだけに困ることもある。こういうことがあった、博物館で急にカラー・フィルムを余分に必要とすることが起った、けれどもまだ余るほどに生産していないわけではなく、当館に対する割当ても計画によってきまっていたので、どうしても飛び入りがきかなかった、計画経済というものは、見透しのいいものだけれども、飛び入りがきかないんでねえ、と語った……。彼はこの町に画家として、いつも独身で、三十年を住み、この町を、元来は十二分に楽しみながら生きて来た男であった。あまりだらしのいい方ではなかった。が、その彼が、十一年ぶりで会った私の眼に、どことはいえないけれども、とにかくおれなどとはちがってシャンとしている、と映った……。

私はこの喫茶店でのひとりの時間をたのしんだ。店のあるじであるハゲアタマの白系ロシア人は、菓子をならべたガラス箱のうしろで眠そうにしていた。そのあるじの顔を私は覚えていたが、向う様はもちろん忘れていた。

かつて、この喫茶店の前の通り、ほんのひとにぎりしかいなかったフランス人が、わざわざパリーからマロニエの木をとりよせて並木にしたといわれる通りで、それは私が一九四五年に上海に到着してから一週間目くらいの頃のことであったが、ここで私は、私にとっての一つの事件にぶつかった。それは次のようなものだった。

あるアパートメントから、洋装の、白いかぶりものに白いふぁーっとした例の花嫁衣裳を着た中国人の花嫁が出て来て、見送りの人々と別れを惜しんでいた。自動車が待っていた。私は、それを通りの向い側から見ていた。すると、そのアパートの曲り角から、公用という腕章をつけた日本兵が三人やって来た。そのうちの一人が、つと、見送りの人々のなかに割って入って、この花嫁の、白いかぶりものをひんめくり、歯をむき出して何かを言いながら太い指で彼女の頰を二三度ついた。やがて彼のカーキ色の軍服をまとった腕は下方へさがって行って、胸と下腹部を……。私はすっと血の気がひいて行くのを感じ、よろよろと自分が通りを横断していると覚えた。腕力などというものがまったくないくせに、人一倍無謀な私は、その兵隊につっかかり、撲り倒され蹴りつけられ、頬骨をいやというほどコンクリートにうちつけられた。

私は元来のろくさい男だ。ものごとがわかるについても、ぱっとわかるという具合には行かない。のろのろとしかわからない。そのくせ、あるいは、だから、自分でわかったと思うことを過信する傾きもないではない。撲り倒され蹴りつけられて、やっと、あるいは次第次第に、〝皇軍〟の一部が現実に、この中国でどういうことをやっているかを私は現実に諒解して行った。倒されたまま私はなかなか起き上ることが出来なかった。上海に来る前に、私は肋膜を病み、その旧患部を――兵隊たちはゴム足袋をはいていたが――蹴られたこともあった。その場の中国人たちが花嫁とともどもに私を助け起してくれて、アパートの一室へつれ込んでくれた。

あのときの花嫁は、恐らく一生を通じて、あの晴れの門出のときに、かぶりものをまくりあげられ、頬をこづかれ、また乳と下腹部をまさぐられた経験を忘れないであろう、たとえあの兵隊自身にはそれほどの悪意はなかったにしても――というのが、私にとっての一つの出発点であった。

戦時中の、時局向きのことを自ら遮断した、いわば芸術至上主義青年であった私の、一つの枠がそこで破れた、ということになろうか。自分の文学的経歴については他で大略のところを書いたこともあるので略するが、つねに分裂している私は——自身の分裂と矛盾を卑下しなければならぬという気持を私はもたない——、中国へ行くについては、渡航前の兵営における負傷と病気のため、療養期間にあったので兵役からはその頃自由であったのであるが——、改造社版大魯迅全集を読んでいたことがその理由の一つであり、また渡航のための手づるがあったということもあるが、中国へ行きたいという漠然とした気持のなかには、戦時中であるにもかかわらず、上海を踏み台にしてあわよくば、ヨーロッパへ行きたいという、まずは呆れた希望もなくはなかったのである。渡ったのが三月十日の東京大空襲後であるから、たとえば河上徹太郎氏などは、日本との梯子《はしご》がはずされるのをわかっていて行く、「まことに酔狂な人だ」と思ったとどこかに書いていた。そういう枠と酔狂さが、ぶつかったり目撃したりした事件や経験を通じて次第に破られていったものであるらしかった。私は日本の侵略主義、帝国主義について、別して政治的、経済的、あるいは政治史、経済史的な理論的理解をもっていなかった。私の理解したものは、すべて、たとえばいまあげたような経験によるものであった。

私たちの宿舎として貸された錦江飯店、もとの日本軍の、十三軍司令部、そしてもうひとつむかしのキャセイ・マンションについても、いくつかの思い出があった。この十四階の高層ビルの頂上に、高射砲がすえつけてあり、電力節約のためエレヴェーターがとまっていたので、そこにつめている兵たちに食事をはこぶものは、その都度十四階の階段を歩いて上るのであると聞いて呆れたことがあった。もちろん高級将校たちのためにはエレヴェーターは動いていた。そうして、この近くにあった劇場が兵の食堂になっていて、劇場の椅子を一列おきにとり払って食卓をおき、食事時間には、兵たちがみな舞台に向って食事をしていた、それはなんともいえぬ珍妙な風景であった。

ある夜、私は中野重治氏とつれだって、むかしは大世界《ダスカ》と呼ばれ、いまは上海市人民遊楽場と呼ばれているところへ出掛けた。ここは、いわば浅草六区のありとあらゆる演芸を一つのビルにつめこんだようなところである。芝居、映画、軽業、漫才、なんでもある。入口でなにがしかの金を払えば、何階のどこで何を見てもいい。演芸の種目にはなんのかわりもなかった。そうして、以前、ここはスリ、カッパライ、淫売、ポンビキ、ときにはこの中で堂々とアメリカ式ホールドアップが行われたこともあった。

入口のところに、歪んだ鏡がいくつかしつらえてあった。ばかに肥って見えたり、棒のように痩せて見えたり、上半分肥って下半分は痩せていたり、その逆だったりというふうに写る、例の変形鏡である。生活を愛することにかけては達人である中野氏は、これらの鏡に写った異形の者を眺め、しきりとたのしんでいた。私はといえば、私もいろいろと身振りなどをしてみてはいたのだが、内心では、実に心からびっくりしていた。というのは、その鏡の列の手前のところに、この遊楽場での失せ物、遺失物のリストがかかげられてあったからである。あたりまえのことだと人は言うであろうが、むかし上海で失せ物が出て来るなどということは、まずなかったことだからである。私はほんとにびっくりしていた。誇張をして言うならば、この万人が万人に対して狼であった都会に、これだけの変化をもたらしえたものは、何なのだろうか、とほとんど茫然とした。これほど、とは思っていなかったからである。何がこういう変化、変革をもたらしえたか、革命である、中国共産党を中軸とした民衆だ、と答えてみたところで、私自身にとってもそれは答えというにはあまりにもつかみどころがなさすぎるのである。

ぼんやりと喫茶店の椅子にかけて、私は、むかしのことをいくらか知っているからといって観察者として妥当であるということは決してない、と結論した。

それまで菓子の入ったガラス箱の向う側でぼんやりしていたロシア人の主人が出て来

て、日本人か、と上海語で私に訊ねた。そうだ、というと、今度は上海語なまりの強い英語にかえて、ナントカ少佐を知っているか、とか、カントカ大尉を知っているか、とかと、旧日本軍にいたらしい知己の名前を並べたが、そういう彼の知人を私は一人も知らなかった。そして最後に、コマキを知っているか、と言ってバレーを踊る真似をしてみせた。小牧正英氏のことであった。小牧氏は、この近くの劇場に店をはっていたロシア・バレーに出ていたのである。私はロシア人のバレー・ダンサーたちはどうしたか、と訊ねた。半分がたはソヴェトへ帰り、後の半分はつてを求めてアメリカあたりへ行ったらしく、娘たちの大部分はアメリカの兵隊にくっついて行ってしまった、もう二度と戻って来はしないだろう、と語っていた。

異民族交渉について

私はまた円明園路という、蘇州河にほど近いところにある、むかしのアメリカ系の印刷会社であるミリントン印刷所を見に行った。通訳やつきそいなしのひとり歩きはのんきでいいけれども、こういう公共機関へ行くときには、やはりつきそってもらわなければば話にならない。門の前をうろうろするだけでは仕方も仕様もあったものではない。そこにかかっていた看板からは、言うまでもなく Millington などという文句は消えていた。

ここで、この印刷所で、一九四五年の八月十五日に、百度にも近い暑さの只中で、私は天皇の放送を聞いた。

先にも書いたように、上海での、いわゆる「終戦」は事実として八月十一日に来ていた。そしてその当日から、私は自分に金も能力もなんにもないにもかかわらず、ひそかに、また人にも言い言いして、日本側に協力してくれた中国人諸氏の運命を胸に痛いものが刺さり込んで来たような気持で気づかっていた。殊に私は、私自身、ほんの一面識しかなかったのだが、大東亜文学者大会というものに参加した柳雨生や陶亢徳などの、侵略者であった日本側に協力した文学者たちの運命を気にした。私などが気にしてどうなるというわけのものではもとよりない。しかし、それを私は、気にした。彼らは一体どうなるのか。もとより、乱世経験では日本人とは比べものにならぬ人々であるから、彼らなりの覚悟と準備があったかもしれぬ。

だから私は、天皇が、いったいアジアの全領域における日本への協力者の運命についてなにを言うか、なんと挨拶をするか、私はひたすらそればかりを注意して聞いていた。

それは「終戦勅語」といわれているものの、まことに奇妙な聞き方というものであったかもしれない。そしてそういう聞き方をした日本人というものは、あるいはそう数が多くはなかったかもしれない。

しかし、あのとき天皇はなんと挨拶をしたか。負けたとも降伏したとも言わぬというのもそもそも不審であったが、これらの協力者に対して、遺憾ノ意ヲ表セサルヲ得ス、という、この嫌味な二重否定、それっきりであった。

その余は、おれが、おれが、おれの忠良なる臣民が、それが可愛い、というだけのことである。その薄情さ加減、エゴイズム、それが若い私の軀にこたえた。

放送がおわると、私はあらわに、何という奴だ、何という挨拶だ、お前の言うことはそれっきりか、それで事が済むと思っているのか、という、怒りとも悲しみともなんともつかぬものに身がふるえた。

あれから十四年、あの放送についてのいろいろな人の感想を読んだり聞いたりしたが、それを聞いて怒り出したという人には、会ったことがなかった。

私は聞きおわって、これでは日本人が可哀想だ、というふうに思った。なぜ可哀想か。天皇のこんなふうな代表挨拶では、協力をしてくれた中国人その他の諸国の人々に対して、たとえそれがどんな人物であれ、またどんな動機目的で日本側に近づいて来たものにせよ、日本人の代表挨拶がこれでは相対することさえ出来やしないではないか……。それはともあれ、国家、政治というもののエゴイズムをはっきりと教えてくれはした。

ところで、あの放送をなぜそんな印刷所などで聞いたかというと、八月十二日に、私は一つの計画をたて、日本軍の弘報部（ここに紙と金がある）、日本の銀行（ここにも金がある）、航空隊（ここに友人がいた、そしてここに飛行機がある）などと、日頃はすべてにおいてのろくさいくせに、敏速果敢に交渉を開始していたからであった。私は、それをなんのてらいもなしに言い得るのだが、（そしてそれは恐らく一生にいっぺんというものかもしれぬ）限りなき愛国心にかられて動いた。私は「中国文化人ニ告グルノ書」というパンフレットをつくるつもりであった。当時上海にいた小竹文夫、武田泰淳、末包敏夫（牧師）、内山完造、故刈屋久太郎（大使館）などの人々に、これを最後に、あるいはこれを最初に、という気持のところ、また日本がかくの如き運命に陥ったということについての、弁解とか、戦争の正当化とか、通り一遍の詫び言などというのではなくて、正確な一言、を書いてほしいと依頼し、原稿は実に立ち所に集って来、それを一九四八年に上海で客死した室伏高信氏の令嬢である、故室伏クララに片端から中国語に訳してもらい、その原稿を、三十分、一時間を争ってせっせとこのミリントン印刷所に運んでいて、そこで天皇の放送にぶつかったのであった。軍の弘報部へ行ったのは、紙を出せ、銀行へ行ったのは、金を出せ、と談判に行ったのであったし、航空隊へ行ったのは、このパンフレットが百万部ほど刷り上ったら、日本軍の飛行機が飛べるあいだに、ひろくばらまいてほしいがためであった。しかも不思議なことに、それらの交渉はすべてうまく行った。

思えば十四年前、たいへんな情熱に身をやいた。全身の細胞が沸々と湧き上るほどな愛国心に動かされて、不穏な気の充満しはじめた上海の町の端から端をボロ自転車でかけまわった。

しかし、八月十四日になると、印刷工は眼に見えて減って行き、八月十五日夕刻には、当の印刷所内で、とうとう騒動がおっぱじまってしまった。それは「慶祝勝利籌備委員会」なるものを印刷工たちが結成するについて、この祝賀委員会を直ちに労働組合の組織に転化するかどうかをめぐってのものであった。抗日派は直ちにそれを転化せよ、と主張した。親日派は国民党の人を迎えてからにせよ、と言った。かくて印刷工のなかの、抗日派と旧親日派の喧嘩がはじまったのだ。当然のなりゆきであった。八月十六日になると、抗日派が勝った。これも当然のなりゆきであった。私はこの抗日派の親玉に、天皇の報道を聞いたその部屋で面会し、依頼したものの内容をくわしく話し、金と紙の準備もあることを言った。が、私の頼みは拒否された。理由は、先生《シーサン》の話はわかるが、戦後になってからも日本人の仕事をしたとあっては、後方からかえって来る主人たちによくは思われないだろうから、というにあり、しまいには、私の方が、頼むからこんな仕事はさせないでくれ、と懇願される始末であった。その親玉は、三十二、三歳の青年であったが、私が、なるほど、と納得したとき、彼は実にあたたかい微笑をうかべ、私の肩に片手をおいた。そして片手を肩においたまま、日本の敗滅のことなどは一言も言わないで、私を門の外までおくり出してくれた。

これでは仕方がない。他の印刷所をさがした。が、事情は同じであった。印刷工組合に事の次第が通報されてあったからである。私は、あきらめた……。原稿を書いてくれた人には、あやまった。私自身の原稿は、ミリントンの紙屑籠の中に、捨てた。

この計画が実現しなかったことを、私は別にくやしく思ってはいない。それは、侵略の手先をつとめた日本の文化機関やそこにいた私を含めての人間たちの、なにやらいやしい言いぐさというものになったかもしれなかったのだから。「日支親善」とか、「日華合作」とかいうものを、中国人がどれだけ骨身に徹して憎んでいたかということは、まことに、実に、つたえがたい……。

ついでに言っておけば、柳雨生は当時二十八歳で（私自身は二十七歳）、柳、陶の二人は一九四六年に叛逆罪により、各三年の懲役に処せられた。法廷での態度も、漢奸たちがよく言う〝通敵救国〟などということも、となえず、みれんがましいところはなかった。陶一家は、戦後すぐに行方不明となり、柳一家に対しては、四六年一杯は室伏嬢と私とで、引揚げ同胞のおいて行った日用品などをもって、ときどき、暮夜ひそかに見舞いに行った。さして交際があったわけではなく、一度しか会ったことはなかったが、行かないではいられなかった。もしあのとき捕ったりしたら、私も室伏嬢も漢奸帮助罪で裁判にかけられたであろう。それも覚悟の上であった。室伏嬢と二人で、前後を警戒しながら、そっと柳雨生の奥さんとお母さんと幼い子供たちが住んでいる家へ近づいて行くとき、私がいつも考えていたことは、あの大東亜文学者大会というものを考え出し、組織し、たとえばこの二人を東京へ誘い出した日本のえらい文学者たちは、この二人の運命をどう考えるだろうか、ということであった。二人は、一九四九年、中国人民解放軍が上海に入るしばらく以前に、刑期満了して出獄した。

印刷所の門前に、ぼんやりと立って、私は当時の自分の行動をいろいろに考えてみた。異民族交渉というものは、徹底的なものである。柳雨生、陶亢徳、ともに死である。文学者としては、死、である。このうち、陶氏は、私などよりもずっと年上であり、処世態度においても、単純な人ではないように見うけられたが、柳雨生は、なんにしても若かった。中国の文学史は、もししるすとすれば、敵に魂を売った裏切文学者としてしるすであろうし、戦時倥偬《こうそう》、ろくに作品もなしえなかった彼等のことであるから、恐らくまったく無視するであろう。

異民族交渉というものは、行動的なものであり、従って徹底的なものであるからこそ、それは文化の中核になりうるのである。徹底的なものでないならば、それは影響という、得体の知れぬ、切りつけられても生きも死にもせぬ、薄皮くらいのことに止まってしまう。日本と中国とのそれは、言うまでもなく前者である。

私は、当時大東亜文学者大会というものをひらいた、その当事者であった日本の文学者たちが、これらの人々についてほとんど何も言わぬということを、いまでも不思議なことに思っている。

魯迅の墓

中野重治、山本健吉、井上靖、十返肇、本多秋五、多田裕計の全員が、虹口公園にある魯迅の新しく大きな墓を見に行った。私は行かなかった。講演のための原稿を書かねばならなかったせいもあったが、そうでなくても、私は行かなかったろう。なにかの写真で、私はその墓が巨大な魯迅の像をともなったものであることを知っていた。だから行かなかったのではない。

私が魯迅を熱心に読んだのは、一九四二年の冬と一九四三年の秋であった。なぜ四二年の冬と四三年の秋だったかというと、その間に、私が兵隊にひっぱり出されて病気をしたということがあった。その頃に、改造社版大魯迅全集を読みとおして、そうして魯迅のなにが私をひきつけたか、ということは、いちど書いたことがあるから詳しくは書かないが、一言で言うとすれば、最終的には岩波文庫版の選集、いまの岩波版魯迅選集第一巻の巻頭にある、一葉の写真であった。

その頃、魯迅の小説のたぐいには、私はほとんど感心しなかった。小説を書くことなどよりも、何だかしらぬが、しなければならず考えなければならぬことが山のようにある人であって、小説はその山のようにも沢山にある、しなければならず考えなければならぬことの、ほんの一部分にすぎなくならざるをえなかった人、そういう運命をもたされた人のようである、と思っていた。私はこの改造社版大魯迅全集では、「村芝居」（いまの岩波版選集では「宮芝居」となっている）という作品が当時好きだった。そうして、十六年前の読書ノートに次のようにしるしていた。「……魯迅の（写真の）、あの、何よりも第一に、何ともいい様のない深い憂いを湛《たた》えた、うるんだ眼の裏には、『村芝居』、

『故郷』のような風景が灼きついているのだ。そして幼年時代の回想が、かくまで美しく描かれるためには、『阿Q正伝』『吶喊《とつかん》』『狂人日記』などのような辛くいたましく無気味な現実がなければならなかった。これは、この二つの系列は表裏一体のものだ。この二つが、魯迅の眼だ。……」あれから十六年たった今日でも、私はそう思っている。常に悲しみつつ怒り、怒りつつ悲しみ、呆れながら声をあげ、声をあげながら呆れ、しかも人の心に底のないことを知り、かつ死ぬまで徹底的に戦いつづけた、あれはまったくえも言われぬ顔である。鼻のわきから口の両端にかけてのくぼみなどを見ていると、寒気がしてくる。あんなに悲惨で、しかも高貴な顔をした人間は、一世紀のうちでも、そうそう沢山いるものではない。せいぜい一人か二人であろう。あのとき、全集を読みおえて、のこったものは何であったか。やはり、魯迅の顔であった。戦い抜いて、しかもいささかも脅えたところがない。

しかし、いまは魯迅についての感想を述べるのが目的ではないから、彼の眼についてのこういうかけっぱしみたいなものでそれをやめておくが、一九四五年の六月、私は武田泰淳といっしょだったか、菊池租氏といっしょだったか、ぶざまなことに忘れてしまったが、上海西郊の万国公墓へ魯迅の墓を見に行った。それは、小さな、なんということもない墓であった。一面、ぼうぼうの草に埋れていた。花もなんにもなかった。たしかその日は日曜日で、墓地の番人がいなくて、私たちは塀の破れ目から身を曲げて押し入った。

魯迅の墓のそばには、宋子文や宋美齢やらの、例の宋一家のじつにばかでかい墓があった。魯迅の墓は、まことにつつましやかなものであった。十字架こそないけれども、横浜あたりの外人墓地によくあるような、土葬をした、その頭の方に、低いついたてのような具合に、白い石が立っている。それだけのものだった。草がぼうぼうに生えていた。「葬」という字は、草の間に死をはふり出す、ということだと聞いたことがあったが、それはまさにそのようであった。

そこに立って、私はやはりぎょっとさせられた。魯迅の眼が、あの眼だけが、あの視線でもって私の心の底を見ていた。と、私は思った。

いま、眼だけが——と書いたが、そのついたてのような具合の石には、例の写真を、白タイルに焼きつけたのがはめ込んであったのだ。しかも、その写真タイルは、鼻まるまると顔の下部ぜんぶが欠け落ちていて、左の眼もなく、右の眼だけが、あの底光りのする、そして微熱があるような、しかも鋭い、人の心につき刺さる視線で私を見詰めた。

優しくて、冷酷で、それから正反対の形容をいくつでも並べることの出来るあの眼が、何か物凄いことを語りかけていた。魯迅と日本、魯迅がもった異民族交渉というものもまた、実に徹底的なものであった。

その例を、多くのなかから一つだけあげておこう。次に引用するのは、魯迅が日本文で書いた「私は人をだましたい」という題で、『改造』の一九三六年四月号にのったものの末尾である。

「……云ひたいことは随分有るけれども『日支親善』のもつと進んだ日を待たなければならない。遠からず支那では排日即ち国賊、と云ふのは共産党が排日のスローガンを利用して支那を滅亡させるのだと云つて、あらゆる処の断頭台上にも日章旗を閃かして見せる程の親善になるだらうが、併しかうなつてもまだ本当の心の見える時ではない。

自分一人の杞憂かも知らないが、相互に本当の心が見え瞭解《りようかい》するには、筆、口、或は宗教家の所謂涙で目を清すと云ふ様な便利な方法が出来れば無論大いに良いことだが、併し、恐らく斯《かか》る事は世の中に少いだらう。悲しいことである。……

終りに臨んで血で個人の予感を書添へて御礼とします。」

この文章の、最終の一行を平然と読みすごすことの出来る日本人も、中国人も、一九三六年当時も、また今日でも、恐らくいないであろう。その間に、「血」の歴史があり、「血」の歴史を経て、今日の中国と日本とでは、いまだに正式の国交すらないのである。

墓のそばまで、一九四五年六月までまた戻ることにして、墓のタイルが欠けていたのは、写真入りの墓が珍しいとて、附近の悪童どもが乱入し、この写真めがけて石をぶっつけて遊んだ、そのためであったという。

一九四六年に、郭沫若氏などの提唱で、この墓は立派に修理された。その完工の式があり、魯迅祭のようなものも催された。たしか内山完造《うちやまかんぞう》氏も出て、なにか演説をしたようであった。私もその会合に出てみたい、と思った。が、中国の友人が、国民党の特務の眼が光っていますから、あなたが、内山さんのように、魯迅と特別に関係のあった人でないのなら、行かない方がいい、一騒ぎ起るにきまっていますから、と言った。私は、外国人だったから、行くことを遠慮した。

ところで、解放後に、中国は、この小さな、つつましやかな墓をやめることにして、虹口公園に、巨大な魯迅像をつくり、そこに骨をうつした。それはいわば魯迅個人の墓ではなくて、死んだ魯迅が中国人民の歴史と意志のなかにうつしおかれたということを意味する。それはそれでいい。魯迅個人の死とその墓が、中国人民の歴史と意志のなかにうつしおかれたということほどに光栄にみちたことはないであろうということも、私には、わかる。が、そこで私は一つ、つまずく。それがそうなったのならば、それは光栄にみちたことだから、私はと言えば、私はごめんを蒙ります、という気持になる。私の気持ひとつでもって、ことをとりきめることは不遜なことであるにきまっているが、私にはそこらあたりに、なにやら近代、現代の中国の歴史と、近代、現代の日本の歴史との決定的なちがいを見る気がするし、従って未来もまた決定的にちがったものとしてもつであろうと思わせるものがひそんでいると思う。われわれのところでは、文学者芸術家の石碑なんぞがいくらたとうとも、それは決して魯迅の新墓のようなものとしては成り立たない。それは文学者芸術家としての質と歴史における在り方がちがうからなのだ。歴史がちがうのだ。

ともあれ、私は魯迅の巨大な新墓を見に行くことをしなかった。

暴動と流行歌

井上靖氏と二人で、先に述べたバンドといわれていた黄浦江添いの、港であって同時にビジネス・センターでもあるところを（いわば東京駅前にあたろうか）――歩きながら、私はまた一九四六年の十一月中頃にこの町で起った、暴動のことを思い出していた。

温厚篤実な紳士である井上靖氏の傍で、あの激烈であった暴動のことなどを考えることは、少々具合のわるいことであったが。

一九四六年晩秋、そのとき私はいつものように放送局へ行こうとして、このバンドで電車をのりかえるために下車した。冷たい河風に吹かれて次の電車を待っていた。が、電車は来なかった。そうしてふと、通りを行く人々の、歩き、流れて行く方向がまったく一方的であることに気付いた。流れにさからって行くほんの少数の人々は、みな服装のいい人々ばかりである。いつまで待っても乗り換えるべき電車は来ない。私も流れて行くことにきめた。歩きながら、二三の人にいったい何が起ってみながこの方向へ行くのだ、と上海語で訊ねても、みなが黙っている。黙ってすたすたと、歩いて行くばかりである。平素は陽気で物見高い上海人《ソンヘエニン》が、ものを聞かれて答えないということはない。大抵は、訊ねたことの十倍くらいは返事をしてくれる人々なのである。殊に下層階級の人々は。

それが、次第に数をまして、しかも黙々と、すたすたと一定の方向へ歩いて行く、そのなんとはない無気味さに、次第に私は気持がわるくなって来た。そのうち、一時間前に罷市（ゼネ・スト）が指令された、ということがやっとわかった。電車が来ないわけであった。やがて、そのころは愛多亜路《エドワード》と呼ばれていた旧共同租界と旧仏租界の境界路であったところへ、この一方行進の大群衆が、ぜんぶ、曲って行くということがわかった。江海関（税関）の前あたりでは、もう人波が人道車道を埋めつくしていた。（ついでに言えば、夏目漱石の「満韓ところどころ」に出て来る「政樹公」なる漱石の友人で、当時大連の税関長をしていた人は、ここの江海関で、サー・ロバート・ハートの下で業務を学んだ。）それはもう怖るべき混雑であった。私は愛多亜路より二つ手前の福州路で曲り、ふと気付いて水道の栓をひねってみた。水は、出た。ゼネ・ストは水道にまでは及んでいなかった。この福州路でも群衆のほとんどは一方行進であった。そうして、同じく、ほとんどが黙々として、すたすたと、速めに歩いていた。

どこへ行くのか？

やっと私は気付いた。彼等の大群衆は、男も女もみな愛多亜路にある警察本部へ行くのだ。警察を襲うのか？　流れ弾にでもあたったのではかなわぬ。私はそこ一軒だけやっていたソバ屋へ入って、あたりにいた人々に訊ねた。何が起ったのだ？

暴動などというものは、恐らく、たった一つの理由などで起るものではない。人々が口々に私に告げた理由は、実に種々様々であったが、もっとも多数の人によって告げられたものは、暮しに困っている難民や浮浪人たちがやっている大道商売が、五大国の一つである中国の大都市、上海にあふれていたのではミバが悪いというので、市長が一昨日を限りとして禁止し、昨日出て来た連中五十人ばかりを逮捕した。その連中が、愛多亜路の警察の地下室で拷問、水責めにあっている、というのであった。たしかにそういう禁止令が出たことは新聞にも出ていた。しかし、そういう禁令が実施出来るような状態には、絶対になかった。だから、買い溜めをやったり、投機をやったりした悪商人たちをつかまえ、どしどし銃殺をしていた蔣介石の、先夫人の子供である蔣経国が、今度は鋒先を貧乏人たちに向けて来たのだ、だから……という説明をそこで聞かされた。

また、学生らしい若者は、昨日郊外の竜華で学生が三十五人銃殺されたのだ、そのせいだろう、と言った。この推定の出所というのが、これがまた途方もなくこみ入っていた。順序を追って説明すると、「民主報」という左翼の新聞が今朝をもって発行禁止になった、その終刊号にドイツ人ケーテ・コルヴィッツの「犠牲」という版画がかかげてあった。この版画そのものは、侮辱され虐げられた子供の屍を抱いた貧しい母を描いたものであったが、それが出るについては因縁がある、というのである。一九三一年二月七日深更、三十五人の、青年文学者をもそのなかに含む若者たちが国民党の特務に銃殺された。そのとき、魯迅が雑誌『北斗』にこのケーテ・コルヴィッツの版画をかかげてその中でも特に親しかった一人のための無言の記念とした、だから……というのである。彼はそれを確証するかのように、私がいつでももって歩いたノートに、今朝の「民主報」には、この版画の下に、尚書武成篇中の「血流れて杵を漂わす」という言葉が添えてあった、とその文句を達筆で書きつけ、だから……という。

このほかにも、いろいろと、だから……という説明をきかされた。そのソバ屋では、人々は私に様々な理由を説明して聞かせるのに、ひどく情熱的であった。

ソバ屋にいつまででもいるわけには行かなかった。神経をはりつめて、なるべくビルディングの壁ぞいに、私は人々にもまれて歩いて行った。もとより弥次馬以外の何者でもない。けれども、群衆というものが、一つの方向に向って歩いて行くとき、それが怖ろしいエネルギーとなりうる、ということを知った。ビルの壁には、もうビラがいろいろとはってあった。アメリカ帝国主義が、戦争の剰余物資を、援助物資だといって中国へ流し込み、それによって中国の民族産業を破壊し、その物資を水先案内として中国を、日本に代って経済的に支配しようとしている、という趣旨のものがもっとも多かった。また更に、中国に駐在するアメリカ軍隊は、法的には日本人の引揚げを援助するためのものだ、日本人の引揚げは終った、早く帰ってくれ、なんのためにうろうろしているか、アメリカ軍は中国の内政に干渉するな、というものもあった。また、外国租界がなくなったその代りに、アメリカ軍に庇護されていたい、安全保障をしていてもらいたいという、自信のない資産家階級を倒せ、というものもあった。更に、私の注意を鋭く惹いたものには、「反対毛沢東内戦路線」というビラで、それには「中国共産党華東総局」という署名があった。私はそのビラをひろって帰り、同宿の中国人に見せると、彼は、国民党特務の製造になるものさ、と一笑に付した。彼自身ぱりぱりの国民党員なのであった！　私は、要するにいまでも半信半疑である。

先方の、人の波の向うから、パンパンというような機関銃の音が聞えて来たので、私は帰った。放送局へはとうとう行かなかったのだが、誰もなんにも言わなかった。

そのあくる日、暴動はつづき、デパートが襲われ、市中を戦車や、装甲車が巡邏《じゅんら》し、高いビルの窓から戦車、装甲車に向けて煉瓦が飛んだ。私は見てびっくりしたのだが、戦車には米軍の部隊名やナンバーがそのままくっついていて、また装甲車の方は、日本の陸戦隊から接収したものにちがいなく、麗々しくそこに海軍旗が描かれたままであった。日本降伏後、もう一年以上もたったというのに……。この無神経さ！——無神経といえば、一九四六年の夏に、繁華街の真中で、突然楽隊が例の「勝ッテ来ルゾト勇シク」という軍歌を堂々と奏し出したのに、ぎょっとしたこともあった。それは商店の大売出しにやとわれたチンドン楽隊が吹き鳴らしていたものであった。この無神経さ！まことに不屈の民族じゃわい、とそのとき私は思った。

この暴動は、約一週間つづいた。ときどきは、男女の学生の集団が堂々と、田漢作詞になる「義勇軍進行曲」をうたって歩いているのにぶつかった。これは、起来、不願做奴隷的人們、把我們的血肉、築成我們新的長城、という文句をもつもので、いまの中華人民共和国の国歌であり、当時はいうまでもなく禁止されていた。

ついでに言えば、そのとき私はケーテ・コルヴィッツの版画を見たことがなかった。インドのニューデリーで、第一回アジア作家会議があったとき、お客として来ていたドイツの作家アンナ・ゼーゲルス女史から、このケーテ・コルヴィッツの版画集をおくられ、それを日本へ郵送したが、どこへ行ったものか、インド郵政当局を私は長いあいだ恨んでいた。ところが、今回の旅で、中野重治氏が上海のどこかの古本屋で同じものを見つけて来、それを私におくってくれた。私はまた上海の別の古本屋で、中野重治氏がむかしむかし訳したレーニンの『第二インターナショナルの崩壊』という本を見つけた。

あとさきになってしまったが、この暴動がようやく静まって、国民党の権威や信頼というものが、血の気がひいて行くように上海の市民からひいて行った、その年の暮れ近く、やっと私の帰国願いに対する許可がおり、十二月二十八日に上海をはなれ、三十一日に佐世保につき、一月四日に上陸した。上陸まで一週間近くもかかったのは、船中に病人が出たせいであったが、この待機のあいだに、退屈でやりきれぬ思いの同船者たちが船にやって来た警官をつかまえて、戦後に日本ではやっている唄をうたわせた。この若い警官が、いま大流行、真盛りの戦後代表的流行歌である、として黄色い声をはりあげてくれた唄ほどに私をびっくりさせたものはなかった。それは、

アカイ林檎ニ唇ヨセテ
ダマッテ見テイル青イ空
林檎ハナンニモ言ワナイケレド
林檎ノ気持ハヨクワカル
林檎カワイヤ、カワイヤ林檎

という、「リンゴの唄」であったが、約一年と九カ月、それこそ日本からの梯子《はしご》をはずされてしまっていた私は、敗戦後に日本にありうべき感情の基本というものが、恐らくは〝怒り〟であろうか、と推察していたので、この唄のかなしさ、おだやかさ、けなげさ、デリケートさに、つくづくびっくりしたのであった。もとよりしばらくして、あの荒涼とした焼野原での生活に、林檎の新鮮な赤さというものが、どんなにか眼にしみ入るほどのものであったのであろうという事情を諒解したが、いまでも私は、あの薄暗い船艙《せんそう》のなかでの演芸会で、若い警官がこの唄をうたったときのおどろきを忘れない。

その後に、私はいわゆる「虚脱」ということも諒解したが、そのときは、なんという情けない唄をうたって……、というふうに怒りをもって考えたことを正直にしるしておきたい。それは、暴動後、戒厳状態の夜の町筋を、起て、奴隷になりたくない人々よ、我等の血肉をもって新しい長城を築こう、などという歌、あるいはまた、

安息吧、死難的工友！　死んでいった労働者仲間の友よ、安らかにやすんでくれ！
別再替祖国担憂、　われらがかわって祖国の憂いをになうぞ、
你們的血照亮着路、　君たちの血がわれわれの路を照らし出す、
我們永遠的跟着你們走。　われわれはいつまでも君たちについてやって行くぞ。

などという、私の当時のノートにはこれだけしか書いてないので、題はなんというのか知らない歌、口の端に出すだけでももう共匪として逮捕必定な歌を（無謀にもというか、勇敢にもというべきか）うたって歩いていた、怒った中国の若者たちとの対比においてそう考えたのであったであろう。要するに、あのデリケートで芸術的で、優美であって情けないような「リンゴの唄」と、これらの歌との、その両方ともが私にとってあまりにも、生ま生ましく、かつその対比もまた、あまりに強烈であったということであ

ろう。

この怒れる若者たちと、中国の農民とがエネルギーを結合して、China is hopeless！などと利いたような、絶望的みたいな口をきいて遊んでいた若者たちと、アメリカに庇護され安全保障をしていてもらいたい、自信のない資産家階級を乗り越えて革命を成就したのであったろう。

そうしてこれを逆に言えば、あの惨憺《さんたん》たる敗戦後に、あのようにデリケートで、しかもあのようにおだやかな流行歌がひろくうたわれ、それによって人々が自らを慰めひろく愛されたということを、中国人は了解しないであろう。……

流行歌ついでにもうひとつ例をあげておけば、あの戦時中に、長期にわたって中国人民が、日本軍占領区たると大後方たるとを問わず、いちばん愛唱した彼等の流行歌なるものを聞いて私はおどろいた。というよりも、怪訝な思いにとらわれたことがあった。その曲は「漁光曲」というもので、今回の旅で、北京で田漢氏宅に招かれ、田漢夫人の安娥さんがその作詩者であると夫君から聞かされて二度びっくりした。私は夫人からいろいろ聞きたかったが、夫人は病気で言語中枢を犯され、話が出来なかった。で、その歌は、

(1)雲児飄在海空、
魚児蔵在水中、
早晨太陽裏晒魚網、
迎面吹過来大海風。
潮水升、浪花湧、
魚船児漂漂各西東、
軽撒網、緊拉縄、
烟霧裏辛苦等魚踪。
魚児難捕租税重、
捕魚人児世世窮、
爺爺留下的破魚網、
小心再靠他過一冬。

(2)東方現出微明、
星児蔵入天空、

海空に雲はただよい、
魚は海にみちている、
朝早く太陽に網をさらせば、
海風が吹きつける。
潮満ちて波は高まり、
漁船の群れは四方に漂い去り、
網をなびかせ、縄をひきしめ、
霧の中で辛苦して魚をあさる。
魚はとれず税金は重い、
漁師はまったくやりきれぬ、
年老いては網も破れかぶれ、
この冬越すのは一苦労。

東の空が明るくなって、
星々は空に消えて行く、

早晨魚船児返回程、　朝早く漁船は帰って来、
迎面吹過来送潮風。　潮風が吹きつける。
天已明、力已尽、　日はのぼり、力は尽きて、
眼望着漁村路万重、　眼ははるかに村をのぞむけれども、
腰已酸、手已腫、　腰はずきずき痛み、手ははれ上り、
捕得了魚児腹内空。　魚はとっても腹はペコペコ。
魚児捕得不満筐、　魚はとったが籠には満たず、
又是東方太陽紅、　また東には太陽紅く、
爺爺留下的破魚船、　年老いては舟もいたみ放題、
小心還靠他過一冬。　この冬越すのが一苦労。

これが歌詞の全部である。この歌が全国的に戦時中、たいへんに好まれた。そのわけがいまでも私にはよくわからない。私は作家としては流行歌というものを非常に重視する。それは、七面倒な議論などよりも、ときとしてズバリと人心の動きを言いあてていることがあるからである。けれども、そういう私でも、ちょっと気持がわからないのである。

こういう歌詞のどこが面白いというのであろうか。もとより、詞は韻（?）をふんでいるし、中国語の音のニュアンスの面白さまでは私にはわかりかねる。音譜を私はもっているが、それをここにうつしてもはじまらないだろう。詞の面白さ、韻らしきもの、曲などの、歌の基本になるものがわからないでいて流行歌を論ずるのはメチャというものだということは承知の上なのだが、それにしても……。

いまの中国の人々ならば、かつての労働人民の苦しみが如実にうたわれていたから愛されたのだ、というだろうか。そういわれても私は充分に納得出来ない。この歌の愛されかたというものは、実に度はずれなものであった。

私が、恋の、愛の、涙の、夢の、別れの、ティ・ルームの、などという日本の流行歌にまったくイカレテいるから、わからないのだろうか。そうかもしれないが、とにかく、こういう、苦労一方の歌を酷愛する国民を、私は、わかりにくい、と思った。ひところ李香蘭、いまの山口淑子もうたった「何日君再来（いつの日か君かえる）」ならば、私にもわからぬでない。この「君」に蔣介石をひっかけてうたわれたために、日本軍が禁止したが、そういう暗喩がこの歌「漁光曲」にもなにかあったのだろうか。当時も中国人の友人に、何度か、なにかそういうことがあるか、と訊ねたことがあったが、答はいずれも否定的であった。

「何日君再来」には、後日談があった。戦後、国民党の「君」はたしかに「再来」した。そうして民衆は、特に学生たちは、この歌の歌詞を変更して、その一部に、「盼中央、望中央、中央来了更遭殃」という新詞を挿入してうたった。

同文同種などという虚妄のスローガンに迷わされてはならない。中国は外国なのであり、中国人民は、外国人なのだ。

王孝和という労働者

中野重治氏と、上海工人文化宮を訪れた。それは、かつて私はいちどここへ人に会いに来たことがあったので、ただちに思い出したが、むかしの、二流か三流のホテル、五階建ての新東方飯店をなおしたものであった。以前の広間やロビイ、食堂などは展覧会場や、各国の労働者や視察団からおくられたものを陳列するところになり、また集会場、あるいは演技、演奏などのための会場になっていた。そうして、各室は、絵画、手芸、音楽（洋楽、国楽）、演劇、舞踊、学問、その他もろもろの文化活動のために使用されていた。

ここで私の眼をひいたものは、展覧会場になっているところにかけてあった、写真による、上海の労働者たちの苦闘の歴史を示したものであった。四・一二、五・三〇事件をはじめとして、彼等が文字通り血によってあがなって来た歴史がそこに生ま生ましく、在った。中野氏が何度か、日本があれだけ沢山の工場をここでもち、長く管理さえして来たのに、それについてのものがほとんどないのはどういうわけだろうか、と私に問うたが、私は答えることが出来なかった。

これらの写真のなかで、二枚、私たちの注意をひいたものがあった。それは、光景や場面の写真ではなくて、王孝和という労働者が死刑に処せられたときの遺書であった。この王孝和という人は、詳しくはここに書かないが、一九二四年に、上海で貧しい船大工の子供として生れ、苦学をして励志英文専科学校に入り、そこで（一九四〇年―十五歳）上海学生界救国協会に参加し、また読書会を組織して、そこで共産党員と知り合い、興味深いことには、「紅星照耀着中国」、すなわち、エドガー・スノウの『中国の赤い星』（“Red Star over China” Edgar Snow）を原文と翻訳の両方で読み、はじめて中国共産党の実態を知った。一九四〇年当時、中国共産党の実態を上海で知ることは、中国人にとっても困難なことであり、そのことは一九四五、四六年に到っても大方は同じで、私が放送局の行きかえりに電車のなかでスノウのこの本を読んでいると、見も知らぬ中国の青年からその本をいつか貸してくれないか、と話しかけられたことも二度ほどあり、またある中年の中国人が、その本をむき出しにしてもっていると危いから、カバーをかけた方がいい、と注意してくれたこともあった。ところで、このまだ二十にも満たぬ王孝和青年は、一九四一年に入党し、その明る年、いよいよ彼が働いて金を家に入れないと食えなくなったので、日本人管理下の、アメリカの会社であった上海電力公司（火力発電所）の「控制室」に職をえた。

王孝和の伝記（『不死的王孝和』柯藍・趙自著、上海工人出版社刊）の、この頃のところを読むと、上海において地下組織であった共産党は、「上電」内での細胞を、細胞組織としてはもたないで、各党員はある一人の特定党員とだけ関係がある、というふうになっていたようである。そうして、この「上電」は、革命の歴史の上では、光栄ある地位をもっている。一九二六年、蔣介石の白色クー・デタのときにも武装して戦った。日本人の管理下でも屢々《しばしば》、陸戦隊や憲兵部隊が出動するような抵抗を行っている。「日本鬼子軍隊」や、「在郷軍人」とのことや、日本人管理者の振舞いなども述べられているが、それはいまは措く。日本の敗戦が来て、一九四五年九月十七日に、アメリカ人の費立斯（フィリップス、あるいはフェリス）が接収に来る。（リン・ランドマン、アモス・ランドマン共著の『赤い中国の横顔』によると、一九四九年解放当時の社長は「がさつで、ロ達者なポール・ホプキンス」ということになっている。）この日、既に、国旗問題をめぐって労働者の反抗が起っている。すなわち、八月十五日以後、高くかかげられてあった中国国旗を、この「費立斯」氏がひきおろして星条旗をかかげてしまった。労働者たちに、旧主人であり、現所有者であり、かつはまた日本を敗って日本の占領から上海を解放したアメリカ人を歓迎する気持はなく、その産業を引き渡す気持もなかったことをこの事件は暗に示していると思われる。かくて労働者たちは部分停電ストをやって、再び、アメリカ人の諒解の下に、中国国旗をかかげさせている。ついで、一九四六年一月二十三日から三十日まで、クビ切り反対のストがはじまり、このときは「上電」の三千人の労働者が楊樹浦発電所に籠城して、「社会同情」を「争取」するために、自発的に三交替組織をつくって発電を維持した。このストに対して、アメリカ人経営者は国民党の特務に依頼して殴り込みをかけさせている。そういうことが「上電」で再三再四起る。他にも、たとえば、これは私も上海にいた頃に聞いたことであるが、あるデパートの売り子が、売り子たちの集りで国産品を愛用しよう、アメリカ品を売るのを少しおさえた方がよくはないか、と言って特務に殴り殺されている。私がいま参照している本によると、この売り子は、梁仁達という青年であった。一九四七年、四八年は、苦難の年であった。国民政府の通貨の対米レートは、一九四八年一月一日には、一二〇、〇〇〇元対一ドル、同八月十九日には、一二、〇〇〇、〇〇〇元対一ドル、つまり百倍に下落している。そうして、この八月十九日には金円券というものに切りかえて四円対一ドルになったのが、九カ月後の解放直前には、七〇、〇〇〇、〇〇〇円対一ドルにまで暴落している(『赤い中国の横顔』)。こうなれば、これはもう暴落なんぞというものではないであろう。それは要するに、メチャメチャというもので、そこにレーニンの言う「『下層』が古い方法を欲せず、しかも『上層』が古い方法でやり得なくなった場合にのみ、革命は勝利し得る」というこの原則実現の下地が用意されていたということが出来よう。一方、国民党は内戦ではかばかしい成果をあげえないのと反比例して、上海での労働者弾圧ははげしくなって行った。そうして弾圧されたものは労働者だけではなくて、蔣経国のひきいる経済特務は、悪質の投機資本家をどしどし死刑に処していた。

ところで一九四八年、上海で四つの事件が起った。一つは、「申九惨案」といわれるもので、これは同年二月二日に申新という名の紡績工場の第九工場で待遇改善を要求してストライキをやったところ、軍警はタンクを用いて労働者を蹂躙《じゆうりん》し、機関銃を発砲して数十人の死傷者を出した。また同済大学のストライキも弾圧をうけ、それらよりももっと話題になったものには、食えなくなったダンサーたちが生活保障を求めて市の社会局に殴り込みをかけて、器物をさんざんにうちこわしたという事件であった。そうして、第四は、六月五日に行われた学生たちのデモンストレーションである。楊叶編述の「中国学生運動的故事」によると、これは上海の百二十の中学と大学の学生五千人参加によるもので、その中心となったものは「上海市学生反対美帝扶植日本搶救民族危機聯合会」というものであった。美帝というのは、アメリカ帝国主義という意味である。

こういう、いわば騒然とした空気のなかで、国民党は、特務三千人、王孝和の伝記によれば「三千人的嘱託」をつかって、専ら民主組織のスパイ工作と破壊に力をつくしたようである。そうして、これに対抗する勢力は、犠牲者の「追悼会」毎に成長して行った。ところで、王孝和の属していた「上電」の組合もとうに破壊改編されてしまっていたが、そのなかで、やはり王孝和は目立った存在であった。

伝記によれば、彼は謀略にひっかかった。すなわち、四月一日に、何者かの手で「直流発電機の軸のなかに粗鉄屑」が入れられているのが発見され、発電機を「爆炸」しようとした、その犯人が王孝和だ、ということになって逮捕されてしまったのである。後を簡単に言うことにするとして、彼は終始弁護士をつけることを許さない非公開の「特刑庭」で一方的に裁かれ、九月三十日、死刑に処せられた。

この王孝和なる若い労働者が「乱殺」される前に書いた、二通の遺書の写真が私たちをうった。一通は、玉瑛という貧しい漁師の娘であった妻にあてたものであり、もう一通は、いわば、人々に訴える、というものであった。ここに私がくだくだしいことを書くことを省いて、簡潔無類なそれの訳を掲げておこう。

「瑛よ、君には感激している。このわけのわからぬ世界では、千万の人が正義のために死亡し、妻や子と離散している。悲しまないでくれ。身体に気をつけて、二人の子供の面倒を見てやってくれ。子供たちには、父親が誰に殺されたかを心に刻みつけてよもや忘れないよう話しておいてくれ。わたしの両親のことは、君の両親と同じように見てやってほしい。そしてもしよい人があったら再婚してほしい。そのことをあやしむどころか、それでこそ安心なのだ。どうか安産であるように！　生れて来る子供には佩民と名付けることにする。くれぐれも身体を大切に。仇を報いる日も遠くはない。特刑庭はまるでむちゃくちゃだ。乱殺、秘密開庭などがいつまで幅をきかすか見ているといい。

君の夫、王孝和血書

九・二七・二時」

「正義の人々よ、諸君の健康を祈る。〝正義〟のためにたたかいを続けて下さい。前途は明るい。

その光明が人々を招いている。諸君の奮闘にまつのみ。
九月二五日　乱殺を前にして

王孝和血書」

この上海工人文化宮で私たちを案内してくれた若い女性は、管理主任といった役目のひとであったが、背が低くて痩せていて顔色もひどく悪かった。ことば少く、声も低く、しかし眼にだけはときどき当方がはっとするような鋭い光りをたたえていて、私は、このひとは肺でも悪いのじゃないか、と思ったが、彼女を見ていて、私は上海についで以来はじめて、むかしながらの、上海の下層階級の女たち、女工たちを思い出した。以前の彼女らのなかには、肺結核のひとがひどく多かったのだ。

王孝和のような、そういう共産党員の労働者がいた。

けれども、上海の労働者たちは、諸外国の帝国主義、租界、日本軍管理下、国民党の接収に対する抵抗等々の苦難をくぐりぬけて来た、実にしたたかな労働者たちであった。一筋や二筋の縄なんぞでどうにかなるようなものではない。労働者としてのしたたかさという点では、世界に冠たるものがあったであろう。「だが中共の労働者に対する支配力は弱かった」、また「都市の労働者たちは、今迄に幾度も実行されたことのない約束を聞かされてきただけに、共産党の約束にたやすく乗ってこなかった」とリン・ランドマンとアモス・ランドマンが解放当初の状況について書いているが、恐らく真実その通りであったろう。ちなみに、ランドマン夫妻は、一九四八年六月に上海に来、一九五〇年九月に中国を離れてい、その『赤い中国の横顔』は、外国人としてはもっともつぶさに解放前後の上海を描いている。当初共産党当局がかなりに手古摺った様子もそこには出ていると思われる。

ランドマンによれば、上海のほとんどメチャメチャになってしまった経済、インフレを一手にひきうけて、天文学的なインフレを食いとめ、経済復興の端緒をつくる大力量を発揮した人は、曽山という三十五歳の、それまでは無名の人と、いま日本の、対中国貿易をもくろむ人ならば誰でもその名を知っている冀朝鼎博士の二人を含むグループであった。そうしてこの冀朝鼎という人のところへ、ロンドンから、またライプチッヒやデュッセルドルフから西欧商工業者の代表が次から次へと腰を低くしてやって来るのを、一九五八年に私はストックホルムで見た。もはや上海はむかしの上海ではない。

Ⅳ

自殺する文学者と殺される文学者

東大で中国文学を教えている黎波という人が、「文学者の死」という文章を書いている。それは次のようなものだ。少し長いけれども全文を引用させて項く。

「原稿の仕事がはかどらないようなとき、僕はよく狭い書斎の書棚を眺める。書棚の一つには半々に、日本文学と中国文学の書物がつまっている。日本文学の、芥川龍之介、有島武郎、太宰治、原民喜、田中英光、そして小林多喜二の全集、中国文学の、瞿秋白、胡也頻、郁達夫、聞一多、これらの書物が他の本と並んで背文字を向けている。僕はこの二つの書物の群を見較べて、こんなことを考えるのである。日本の文学者は、何と自らの手で生命を絶つ人の多いことだろう。そして中国の文学者は、何と無理矢理な他人の手で生命を奪われる人の多かったことかと。このことの証しが、書斎の中の僕をとり囲んでいるのである。

文学者にはまともな死方が許されない。そのような時代が中国にはあった。中国では、五・四以来、自殺した文学者は一人もいなかったが、日本の文学者とはちがったきびしい運命が彼らを待っていた。瞿秋白は銃殺され、聞一多、郁達夫は暗殺され、柔石は十発の弾丸に倒れ、殷夫は銃殺、応修人は特高にビルの上から押されて墜落死をとげ、潘漢華は天津の監獄で餓死した。数えれば十指にあまる程である。しかし、いま幸いに、それは過去となってしまっている。

日本においては、小林多喜二以来、派手な虐殺は影をひそめたようだが、自殺は跡を絶っていなかった。去る三月十五日、節を守って折れなかった芸術家、久保栄氏が、自らの手で死を選ばれた。痛恨に堪えない。ある歴史的時期においてまじめな文学者に自然な死方のできないことを現在形で知った。

自殺が場合によっては、変形された虐殺であるにせよ、何故か中国の文学者はそのような死方を選ばなかった。日本人の死と中国人の死の相違というものが、ここにはっきりとみとられるのではないか。そしてこれは、その死に至るまでの生き方の異質さからもたらされるものではないだろうか。」(『東大新聞』一九五八年四月十六日号)

黎波氏は——私には未知の人であるが、その名から見て恐らく中国の人であろう——

短文ながら、ここで中国の文学者と日本の文学者の「ある歴史的時期において」の根本的な差異を簡潔直截に指摘されているのである。単刀直入、という感じで私はこれを読んだ。それは、私もずいぶん以前から感じもし、考えもして来たことであった。一九四六年に、私は中国の文学者がはらった抗戦中の犠牲を調べてみ、郁達夫がスマトラで日本の憲兵に殺され、蕭紅は香港で窮死し、落華生が昆明で餓死同然の死をとげていることなどを知り、そのことについて短文を書いたときから、その感じと考えははじまっていたのであったが、いつでも私はそのことを徹底的に考えることを避けて来た。ああおれはこのことだけは、徹底的に考えるのはいやだなあ、という感じがいつもその感じと考えにつきまとっていた。そうして、いつでも途中で怖ろしくなってしまって、そこから逃げ出してしまった。それをいま、中国の側から指摘されてしまったわけである。おれがいつまででもこのことから逃げてばかりいたならば、いつかはそのことを中国から指摘されることになるぞ、とはいつでも私は気付いていた。何故なら、日本文学と中国文学、日本文化と中国文化は、人々の想像以上に、あるいは人々が西方の文化文物に気をとられているあいだに、実は、事実としては、お互に鋭い照射を浴びせあっていたのであるから。中国と日本における文学者の生き死にと、「ある歴史的時期」から、いつまでも逃げおおせ、かくれん坊をつづけられるわけのものではない。そして、とうとうそれが黎波という人の名においてなされた。

戦後になってから、フランスの抵抗文学の大略が日本に紹介されたときにも、そのことを考えた。が、私はやはり逃げてしまった。そうして日本でフランス文学を専門に研究しているという人たちも、そのことと日本の文学、文学者とを対比して論ずるということを、ほとんどしなかった。フランスはフランス、中国は中国、日本は日本——そんなことはあたりまえのことだ。

私は自分がそれを考えることから逃げていたということを、いまとなって否定しようなどとは思わない。日本の文学者の自殺の知らせに接するごとに、私は自殺した文学者と殺された文学者とのことについて、自身のためにもなんとか考えをまとめて、それをあからさまに書き、そのことによって、少々おこがましい引用を許してもらうとすれば、「ありていにいえば、私は彼らを忘れたかったのだ。」（魯迅『忘却のための記念』）けれども、いつでも私には魯迅ほどの勇気も深い悲哀もなく、それが怖かった。また、死者に対して、たとえ毛筋ほどでも文句をつけたりすることがいやだった。

明治以後の、特に明治の三十年代までの日本の近代化は、おくれたアジアの先覚者として、単に封建清朝の中国だけではなくて、全アジアを照らし出すものであった。日本はアジア第一の優等生であり秀才であった。中国からの留学生は「明治三十八年には、三千人ないし五千人となり、明治三十九年には一万人を突破するようになった。」（北山康夫著『近代における中国と日本』）それは、荻生徂徠《おぎゅうそらい》の朱子学批判以来、高杉晋作、佐久間象山、高島秋帆、吉田松陰などの幕末期の、民族の危機の自覚から発した精神の伝統がしからしめたもの、と言うことが出来るし、（北山氏は「むしろアヘン戦争から多くの教訓を学んだのは、日本であった。」と確言している。）また日本の近代文学、特に翻訳と文学理論は、中国の近代文学の構築にも相当以上の照射をもたらした筈であった。特に日本の、プロレタリア文学理論の日本語訳文芸理論が果した役割というものは、恐らくそれらの書物の訳者たちの想像をはるかに越えている。戦時中も、上海の本屋や古本屋には、日本ではもう見られなくなったその種の本が棚の奥に大切そうにしまってあった。

私は、なにもかつての日本文学からの照射を過大評価しようというのでもないし、また逆にこの黎波氏の立言からして、日本の文学者の生き方というものが、中国の文学者のかつての生き方からのみ照らし出されるなどと言っているのでも、もとよりない。西欧の文学、文学者を証言者として引き出すことも大切であるが、事実としては、近代日本と近代中国の対比の方が、はるかに困難であり、それは必然的に西欧、中国、日本という三者対比になり、西欧対日本というときのような具合には派手でもありえないし、無責任でもありえない。だから、それだけに実り多い結果を得ることが出来るのではないか、と私は考えるし、また私自身としては、逃げたい根性がつきまとい、また学問もないのでその任にあたることが出来ず、かと言って、日本でそういう研究が進んでいるとも言えないので、いつでも苛々《いらいら》した、情けないような感じの未解決の状態におかれているというのが、本音であり正味のところなのである。ということは、私の考えでは、この優等生であり秀才でありつづけた、また現在もありつづけている日本が、どうしてアジアに対する災殃《さいおう》と日本自体にとっては一九四五年をもたらしたかということの、私たちの日本自体による究明がいまだに充分になされていないということであろうと思う。私は、なけなしの知識をはたいて近代日本と近代中国というものを考えてみるとき、いつでも近代日本の優等生、秀才ぶりと、その優等生性と秀才さ加減のもつ進歩性と、進歩性であると同時にそれが他に対しての反動となるという、この、ほとんど宿命的とさえ言いたくなる二重構造にぶつかり、そこで立往生してしまうのである。立往生は羞《はずか》しいことである。けれども私は、この立往生のなかから、（進歩の方向へも、反動の方向へも、そのいずれへも）簡単に救い出されることを望まない。

（ここでついでに言っておけば、私はニューデリーで、北京で、モスクワで現代中国の文学者といろいろ話し合い、彼等の眼、視線が、いわば北京から発して、中国そのもの

について は言をまたぬとして、デリー、モスクワという方向に強く志向されていて、〝アジア〟という意識認識が、たとえば私自身などとは比較にもなんにもならぬくらいに強いということを知った。彼らは、いわばアジア大陸のこの三地点を基点として、新たな世界認識をかたちづくりつつある、と私は感じた。）

かつて上海に住んでいたとき、私は上海の南西郊にある竜華鎮へ竜華塔を見物に行ったことが二三度あった。それほど立派な塔でも歴史的な由緒のあるものでもないが、植民地的な建物ばかりにかこまれていて息が詰まるように思うようになると、ときどき出掛けて行ったのである。その近くに、日本軍の飛行場があった。突然そこが空襲をかけられて、物凄い爆弾攻撃にふるえ上ったこともあった。あるとき、そこへ行った帰りに、ぽつぽつ歩いていると、知り合いの日本人新聞記者の自動車がとまり、拾われて乗り込むと、いまその竜華飛行場から、沖縄へ向けて特攻隊が飛び立って行った、という話を聞かされたことがあった。その特攻隊員のなかには、私の若い友人の名があった。彼は、もとより還っては来なかった。上海の竜華飛行場が、彼が地上に足跡をとどめたその最後の地となったわけである。

また、私は、「十発の弾丸に倒れ」たと黎波氏がいわれる柔石が、五人の青年文学者を含む、「三十五人の同犯（七人は女）」とともに「足鎖をかけられ」国民党特務の手で「一九三一年の二月七日の夜か八日の朝」（魯迅『忘却のための記念』）殺されたのも、この竜華飛行場になったところであったことを知っている。かつて、その地は、上海の刑場であったのだ。彼等の遺志、精神はうけつがれた。私は北京で田漢氏夫妻宅に招かれたとき、彼等が想像していたよりずっと若かったのにおどろいた。革命は、死者たちの遺志をうけつぎ、たとえば田漢氏の生涯のうちに、まにあった。

今度の旅で、私たちはこの竜華飛行場から重慶へ行く飛行機に乗った。早朝、眠い眼をこすりながら自動車に乗り、どの飛行場へ行くのだろうか、と私は思っていた。上海には、大場鎮、虹橋、竜華の三つの飛行場があったのである。このうち、大場鎮から立つとすれば、それはかつての上海事変で十九路軍との激戦のあったところであり、またそれは一九四五年に私が日本からはじめて中国の地を踏んだその地点であり、またもし、虹橋飛行場の方へ行くとすれば、私にとって、これも消しがたい記憶のある旧魯迅墓のあった万国公墓のそばを通る筈であるから——、と思っていた。が、車は竜華鎮の方へ向って行った。

がらんとした早朝の飛行場へ到着すると、上海で私たちをもてなしてくれた作家協会、対外文化協会の人々が見送りに来ていた。そのなかの一人が、「ここはむかし刑場でした」と言った。

そのとき私は、窓から広い飛行場を見渡し、かつてここから沖縄の空へと立って行った弱年のときの友人のことを考え、その顔がまざまざと蘇ってくるのに、うたれていた。私は柔石という人の書いたものを読んだことがない。けれども、先程からたびたび引用している魯迅の『忘却のための記念』によって、彼が、「骨っぽい」「相当に融通のきかぬ」人物であって、魯迅に言わせると、「時々私は道で彼と出会って、三、四尺離れた前後か左右に若いきれいな女の人がいると、それは彼の友人ではないかという疑いが起るのであった。ところが彼は私と一緒に道を歩く場合には、ぴったり寄り添って、ほとんど私を抱きかかえんばかりにする。私が自動車や電車に轢き殺されはしまいかと気づかうためである。私の方でも彼の近視のくせに人をかばうのが気になるため、双方ともおろおろして歩いている間心配する。」といったような人物であったことを知っている。

私は、見送りに来てくれた人々に、日本語、英語、中国語ごちゃまぜで挨拶をし、礼を言いしながら、頭のなかでは、ここから立って行った特攻隊の若い友人と、柔石その他の、中国の青年文学者たちの影像が、立ちまじって来ることに、ほとんど苦しんだに近かった。そして平和が、——腹立しいことに中華人民共和国との平和条約はまだ結ばれていないのだ——どれだけの多量の血によってあがなわれているかということを痛感し、私はなにかしら生理的に気持がわるくなった。嘔きたいような気がした。平和を、嘔きたいようなものとしてうけとるとは、まったく異様な話であるけれども、私は、被害者意識といったようなうじゃうじゃしたものとはきっぱりと無関係に、あるいはそれを立ち越えて、歴史は殺された者の視点から——それは文学以外のかたちでは不可能であるかもしれないが——語られた方が、生ま生ましくその実体に触れることが出来るのではないか、と考えていた。そして殺された者の視点からということは、決して基調として、いわば恨めしやあ、といったものを持つということを意味しない筈である。私は、恨めしやあ、が基調になっている歴史叙述を好まない。現代中国の近代史叙述が、革命の成功ということもあるであろうけれども、被害者意識というものと完全に切れていて、大旨、攻撃的であるということを私は理解することが出来る。また、毛沢東の著述の何処にも、その長いあいだにわたる苦闘、弾圧、包囲にもかかわらず、被害者意識は皆無である。そのことと、「中国の文学者は、何と無理矢理な他人の手で生命を奪われる人の多かったことか」という、黎波氏の提言とは、底の方で、徹底的なところでかかわりがあるのだ、と私は思う。少し、無理を押して飛躍して言うならば、そこのところに、中国近代史の、猛々しい本体のようなものがあると感じる。

たとえば清朝末期の中国の民族意識と国際情勢認識と、幕末、明治初、中期の日本のそれとを比べてみるとするならば、前者が帝政ロシアに庇護されていたい一心の異民族支配下にあったという事情を勘定にいれても、その低劣さはまったく問題にならず、われわれの日本の意識認識を当時のアジア史のなかにおいてみるならば、その鋭敏さはまったく驚嘆すべきものであった。それはまったく両極端ということさえできるであろう。そこにも一つの異質性がある。現代中国の、世界の中における猛々しさというものを、これまた充分に言いつくす法を私はもたず、わずかに旧知の看護婦が、地面に掌をつけてもちあげるようにし、「人民起来了」と言った、その姿を思い浮べるしかない。低劣後進ということは、いささかも恥ずべきことではない。彼が低劣後進であったということは、これを逆に言えば、他の（西欧の）つくり出した制度、思想を、気早やに安易に応用して近代化をとげさせない、猛々しいものが彼のなかに内在していた、ということになるのかもしれず、問題は、低劣後進と目されるもの自体のなかにある、倫理、生産、自己の創意による再生産等々のエネルギーをひき出すことにかかわっているであろう。

さてしかし、こんなことを言ったところで、黎波氏の提言に対して、何を答えたことにもならないことは、私も承知している。日本の文学者と中国の文学者の、この「生き方の異質さ」について答えることは、やはり私にはまだ出来ない。けれども、竜華飛行場から立って行った特攻隊員の面影に対しては、私は、魯迅が柔石を悼んでつくった詩を、それは不思議な具合なことであって、同時に、何かしらふさわしからぬではないか、という思いもともなわぬではないけれども、その詩を呟くことが出来た。飛行機に乗ってから、離陸までの少時、私はぶつぶつとこの詩を念仏のように呟いた。

長夜《とこよ》に慣れて　春時を過し、
婦《つま》を挈《たずさ》え　雛《こ》を将《ひき》いて　鬢《びん》に絲《しらが》あり。
夢裏に依稀《ほのか》なり、慈母の涙、
城頭に変幻す　大王の旗。
看るに忍びんや　朋輩の新鬼と成るを、
怒りて刀叢に向って　小詩を覓《もと》む。
吟じ罷《おわ》り、眉を低《た》れて　写す処なし、
月光は水の如く　緇《しい》衣を照す。

（松枝茂夫訳）

私は文学者の一人として、自分があの若い友人にたむけるに足るものを何一つもたぬことを恥しく思う。そういうときに魯迅という異国の詩人の詩をぶつくさと口にすることも、あまり見上げたことではないだろう。がしかし、一人の同胞である友人の無慙《むざん》な死に対して、機上で中国人である魯迅の詩を思い出しえたことに、私はなんとなく救われる思いをしたこともつけ加えておきたい。私には、そういうところから、未来の、平和で実り多かるべき中国と日本とのまじわりの底辺の、その心の一番奥の方でのまじわりがはじまった方がいい、と思われるからである。今日の中国と日本とのあいだのあらゆる交流は、私の心の底にまで死者交響としてひびいて来る。未来そのものである子供たちにおいてではなくて、死者において平和がある、少くともその一番奥底の基礎がある、などと言ったらペシミストだと言われるかもしれぬが、そういうものがペシミストなのなら私はペシミストでもかまわない。「死者がもし生きている人の心の中に埋葬されるのでなかったら、それは本当に死んでしまったのだ。」（魯迅『空談』増田渉訳）

私は専門家でもなんでもないので、日本文学と中国文学、日本の文学者と中国の文学者との違い方について、正確詳細なことはなにも言えない。がしかし、私は、文学としての普遍性、理解可能性を先に立てて行くよりも、むしろ逆に、いかにそれが理解しがたいか、その異質性、断絶がいかに深刻なものであるか、安易に、ああお隣りの中国の文学か、などという態度ではそれがまったくお座なりの理解にしかならないということ、そういう点から出発して行った方がよいのではないか、とひそかに考えているということをつけ加えておきたい。

とびとびなことになってしまったが、中国の殺された文学者たちと、日本の自殺した文学者たち——それは、おのおのの近代化の、それぞれの「ある歴史的時期において」の、明らかな一帰結なのだ——の問題を考えるについて、一つの参考になる、日本人によって書かれた文章がある。ここでも少々長すぎるが、引用をしておこう。筆者は中野重治、題名は「自殺した文学作家」(『子供と花』所収、一九三二年に執筆されたもの)といい、生田春月の死に際して書かれたもので、春月の自殺を知り、「(前略) 当時自分らと一しよに働いてゐた今東光が自分らから別れて坊主になつたことを知つた。自分は独房のなかで二人のことを考へ合せて今東光を卑怯ものと思つた。(中略) 自殺したものは戦ひやぶれたものであるからその精神はうけつがれることがある。しかし敵に通じたもの、精神はうけつがれない。」という結論をもつものの、まんなかあたりである。

「(前略) 彼ら(「北村透谷、川上眉山、有島武郎、芥川龍之介、生田春月の人々」)は人間としても芸術家としても、ある種のしらぐ〵しい嘘にたへ得なかつたのだ。彼らには自己の芸術が自己の生活から切りはなされたものとしては考へられなかつた。自己の芸術の行詰りのなかに彼らは自己の生活の行詰りを感じた。その行詰りは芸術の改革によつてゞはなく生活の改革によつてのみ打開される。彼らは生活の改革をやらうとしてそれを自殺といふ形でやつた。それによつて彼らの生活は滅亡にまで打開された。

かう見るのが普通だと思ふ。

自分はこゝで自殺が生活行詰りの打開策だといはうとするのではない。自殺はあくまで自殺であつて何の生活の改革でもない。しかしこれらの自殺者が自己の生活改革のために自殺をえらんだといふことは、彼らが改革しようとした生活の内容について見れば充分にうなづけると思ふ。彼らは自己の生活の改革を、改革されねばならぬ今までの生活のそのまゝの延長として考へた。彼らは彼らの今までの生活を前方へ引きのばすことによつて自殺にまで行きついた。これは彼らのやらうとした生活改革が結局するところ生活撲滅にすぎなかつたとしても前進である。彼らは決して安らかな心持ちで死にはしなかつたらう。死の決行の瞬間の心持ちがどれだけ平静であつたとしても、その決行に至るまでの彼らの心理の推移は揺れやかげりや不安に充ちたものであつたらう。それにしても彼らは逃げを打たなかつたのだ。彼らはあるひは、死の直前に、あげくの果てに彼らのえらんだ自殺が結局するところ生活の何らの打開策でもあり得ないことを自分自身に感じたかも知れない。けれども彼らはそれをやつた。『進軍のうちに死ぬのは私達の本望だ』といふホイットマンの歌の一ふしが、こゝで別の意味であてはまる（後略）」

はじめの黎波氏の文章と、中野重治のこれとを、また中国の彼等の「生活改革」、「生活行詰りの打開策」と、日本のそれとを考え合せるとき、そこに立ち出て来るものは、両国の歴史のちがいというものを立ち超えた、底深く、怖ろしいものである。

V

様々な日本人

さて竜華飛行場から飛び立ったのは、重慶へ行くためであった。

北京で、日程についての会合があったとき、私はしきりと重慶を固執した。抗戦中の、いわゆる〝大後方〟を見たいということもあったが、その一つに、やはりここでも、あの不幸な時期の死者のことが、私にはからんでいた。

一九四六年の早春、国民党の宣伝部にいた私は、敗戦のその当時、次から次へと起って来る思いもかけぬような異常事に次第になれっこになってはいたけれども、それでもなおかつ、眼をみはって待たなければならぬような、異常な客を迎えることになった。灰色の服を着た、数人の日本人たちがあらわれたのだ。これが先発隊であった。重慶の劉家湾収容所にいた日本人の捕虜たちであった。この人たちのなかには、重慶で、あるいは昆明で、対日放送に従事していた人たちがいて、そのために先がけて上海へ出て来たのである。人は、こういう異常な経験をもった人を迎えるについては、好奇心を押えることが出来ない。ために、バランスのとれた心で迎えることが困難になる。けれども、あらわれ出た人たちは、表面的には、別にこれといって異常なところのない、日本の青年たちであった。春から夏にかけて重慶にいた人たちは、続々と上海に出て来た。

いま、私の印象に強くのこっている人は、次の五人である。Aという、兵隊になる以前にはレントゲンの技手をしていた人。彼は読書範囲の広い、いわば文学青年で、浜松近辺で小作争議を組織したりしたこともある人で、五人のうち、この人だけが自ら戦線を脱出して中国側へ赴いた人であった。Aはスパイ容疑で長く原始的な獄につながれた経験をもっていた。そしてBは、特務機関にいて、海賊同然のジャンク輸送船隊にい、福建省にあるタングステン鉱山へ対敵物資交換に赴いた際にとらわれた人であった。戦争からも、捕虜生活からも、何物も学ばなかった人のように見受けられた。日本へ還ってからは、米軍特務の手伝いをし、密輸業に身をいれたりしていた。三人目は、Cといって、声がよく、咽喉をふるわせる方式で流行歌をうたわせたら相当なものであって、戦線で酔っ払っているところをつかまったということであった。そして四人目はDという、この人と私は約一カ月ほども同じ部屋で寝起きをともにしたのだが、Dはほとんど何も語らなかった。出身もなにも一切わからない。一カ月のあいだ、毎日約十五六時間も眠りつづけた。外出を怖れて、ほとんど宿舎の外へは出なかった。重慶から上海へ来る途中で、長江に投身して自殺をはかったことがあるということで、同室者である私には甚だ無気味な隣人であったが、あるとき、ふいと、

「帰ったらやっぱり軍法会議だろうね」

と、私にたずねたので、私はその瞬間、なにがなし、彼の一切を了解出来たような気がした。私は彼に、D君よ、重い責任があるのは君ではなくて、天皇や軍や政治の方のボスどもであって、第一、君を軍法会議で裁こうにも軍そのものがなくなり、軍法会議をやるべきボスどもが戦争犯罪人として捕われているのだ、といくら説明しても、Dは決して納得してくれなかった。黙々として聞いているだけで、夜半に、不意に眼覚めて私を揺り起し、

「帰ったらやっぱり軍法会議だろうね」

という問いを、何度も何度もくりかえした。それほどに、事はこのD君にとって、存在の奥底にまで浸透してしまっていた。このD君に対してしたように、まったく同じ話を毎日毎日くりかえして話したことは私にはない。けれどもその甲斐はなく、決して彼は信じてくれなかった。夜半になると、不意にまた軍法会議云々がくりかえされるのだ。

私はいまでも、ときどきこのD君のことを思い出し、彼が無事で生きていて、あの軍法会議ノイローゼから恢復してくれていることを祈りたい気になることがある。日本軍イデオロギーは、実に痛烈深刻なものであった。いまこれを書いていても、私は彼が戦後の日本の、あの人に対する深切さというものがないことの方が常識になってしまっていた混乱期を生き抜いて、生きていてくれるかどうかが、気にかかる。

このD君が、矢張りある日の夜半に私を揺り起して言ったことがあった。

「重慶の劉家湾の収容所でな、人が死ぬんだ。死ぬとな、箱にいれてかついで行って、長江添いの高い高い山にのぼって、日本が見えるわけではないけれども、死んでからでも日本へ還りやすいように、高い高い山の峠に埋めたもんだ。その峠にな、墓標が、ずらっと並んでいた……。捕虜は、たいてい偽名をつかう。だから、なかには死んでからも、墓標に偽名のままを書かれた人もある……」

それが、この峠の墓標のことが、D君の心にこびりついていたのであったことが、ここでも、一瞬のうちにあきらかになった。夜中に、ぼそぼそと低い声で墓のことを聞かされるのは、あまりよい気持のものではなかったが、以来、長江を見下ろす峠の上の、この重慶の墓のことは、私の心にも灼きついてしまった。私はそのときから、いつか機会があったらD君のため、いや、墓そのもの、死者そのもののためだけではなくて、それよりももっと大きい（？）、日本と中国との二つの国、二つの歴史にかかわったような、大きいのか小さいのか、さもあらばあれ私にもはっきりとは正体のわからぬもののために、一度はこの重慶の墓を詣でたい、という切情をもつようになっていた。

強く印象にのこっている五人目の人は、Eという、地方の高等学校の東洋史の先生をしていた人で、戦後にこの人は、戦線脱出をするまでのことを小説にし、いまも作家として立っている人であるが、この人とは私はすれちがったという程度の接触をしかしていないから、くわしく書くことが出来ないが、Eが帰国してから、重慶でEが書いた抗日宣伝用の原稿が行李に一杯ほど送られて来、私はそれを通読したが、あまり好い気持がせず、この世にそれが存在することがE氏のために好ましいことでもあるまいと判断して、勝手に焼き捨てた。

Eは別として、いくらかやくざがかったような人たちのリーダー格としての、はじめに書いたA君の努力は、並大抵のものではなかった。重慶から来た人たちは、はじめは日本民主化の代表選手といった気味の張りがあったけれども、次第に付け焼刃がはがれて行って、上海でやくざ化して行く、それを食い止めようとてA君は力をつくしたものであった。重慶には、鹿地亘、青山和夫などの人もいたのだが、いずれも国民党の官僚機構とそのセクト性にわざわいされて、思うようなことは出来ず、従って捕虜たちの教育ということも、D君にその例が見られるように、まったくなおざりにされていたように思われた。なかには、満州事変のときにつかまって、満州から重慶まで護送されたような人もいたらしかったが、A君の話によると、そういう人の人間は腐敗にまかされていたということであった。重慶から帰って来た人たちは、その正確な数をあげることが出来ないのは遺憾であるが、総計では、百数十人であった、と記憶している。

エドガー・スノウの『アジアの戦争』("The Battle for Asia" Edgar Snow, New York, 1941) によると、「重慶にいる日本人たちは、自分たちが蔣介石の政治部に、八路軍が行ったような転向した捕虜は釈放した方が賢明であることを確信させることが出来ないでいるのは、大失敗であると考えていた。」ということであるが、延安の日本人たちは、日本人民解放同盟及び日本人農工学校を組織し、帰りたい兵は前線へ帰していた、という。延安での指導者であった岡野進＝野坂参三は、『紅色中国の挑戦』の著者ガンサー・スタイン ("The Challenge of Red China" Gunther Stein, New York, 1946) に、「戦争開始以来、八路軍と新四軍にとらわれた二千四百人以上の捕虜のうち、二千人は帰りたいというから、日本軍へかえした」と語っているが、スタインは同時に、一九四五年初期までには、共産軍による日本人捕虜は三千八百八十人にのぼった、と記録している。この延安側の敵軍の捕虜をかえすという方針は、中国共産党がその発足当時から持していたものである。一九二八年十一月に毛沢東が行った報告「井崗山の闘争」には、既に「敵軍にたいする宣伝のもっとも有効な方法は、捕虜を釈放することと負傷兵を治療して回復させてやることである」ということばが見え、送り出すについては「新しい兄弟を見送る会」というものをひらいたことも出ている。その「宣伝」の効果がどんなものであったか、少くとも日本軍に関する限りは、まったく大したことはなかったと思われるが、しかしそれは別としても、中国共産党がもっていた途方もない気長さ、自信というものは読みとれると思われる。

A君に、延安の日本人たちと連絡があったか、と聞いたことがあったが、それは厳禁されていて、ときたま聞えて来る風評では、延安では、食糧費のピンハネが行われないからよいという話を聞いたことがあった、とのことであった。彼はまた、日本へ帰って民主化運動をやるにしても、おれたちは、延安の連中と比べれば理論的に弱いから延安グループに吸収されるかもしれぬ、と弱音を吐いたこともあった。

太平洋の戦線で捕虜になった人たちのことは、要するに比較的に、ということであるけれども、まず比較的によく知られている。けれども、重慶、延安での記録は、鹿地亘氏の『和平村記』のほかには、あまりないらしいのである。しかも、この『和平村記』も、思う存分のことは書かれていないと思われる。私は作家になったE氏が戦線脱出以後のことを書いてくれないかと十数年待っているのであるが、なにか差障りになることでもあるのであろうか。このほかに、私は塩見聖作という、かつてハノイの日本領事館につとめていた人にも会ったことがある。この塩見氏は仏印と中国の国境調査に従事していて中国軍にとらわれた人であり、アグネス・スメドレイが『中国の歌ごえ』("Battle Hymn of China" Agnes Smedley, New York, 1943) のなかで言及している。また、石というかわった姓の航空兵で、国民党の航空部隊へ入った人もいた。E氏を除いて、これらの人々の消息を、私はまったく知らない。だから、かつて上海で知り合った中国の人々の消息がわからないといって憂鬱になったりしてはいけなかったのであろう。

(この一文を書いた後で、鹿地氏の後方の記、『火の如く風の如く』が出た。それからここにしるしておきたいのは、長谷川テル著、高杉一郎訳『嵐のなかのささやき』(新評論社) という本のことである。これは原文はエスペラント語で書かれ、高杉一郎氏が戦後に訳したもので、著者の長谷川テルという日本人の女性が、エスペラント運動を通じて中国人の劉仁という留学生と結婚し、一九三七年四月に上海にわたり、シナ事変勃発後に香港、広州を経て重慶に入り、早く一九三七年の九月にエスペランティストとして対日放送をし、「中国の勝利は全アジアの明日への鍵である」という呼びかけを行ったりさえしている。重慶では石川達三の『生きている兵隊』のエスペラント訳をしたり、『嵐のなかのささやき』、『戦う中国にて』を出版したりしている。日本の敗戦後は、夫と二人の子供とともに東北に旅し、その後の消息はわからない。佳木斯《チャムス》で病死したともいわれている。こういう人の記録を私は大切なものに思う。また福地いま著『私は中国の地主だった——土地改革の体験』(岩波新書)も、激烈な革命過程の体験記として、まことにさもあったろう、と思わせる日本人側の貴重な文献である。)

要するに、実に様々な日本人がいたのである。前に書いたレウィ・アレイの記録によれば、これは戦後のことであるが、甘粛省山丹のアレイが直接監督していた合作社には、スズキという陶工一家が参加している。いろいろな人生がそこにあり、様々な死がそこにあった。戦死してしまった人のことはいうまでもないことであるが、私は山奥の重慶劉家湾で、声もなく、偽名のまま死に果てて、峠の上に偽名の墓標をたてられた死者たちの運命を、ことのほかに痛切なものに思った。延安にも、恐らくそういう人はいたであろう……。

Ⅵ

死刑執行

また私は、上海で、漢奸《かんかん》の死刑執行を見たことがある。漢奸とは、要するに日本軍の侵略戦争に対する協力者である。そして漢奸というものについては、何度か書いたことがあるので、ここにはくりかえさないが、その代りに「遺臭万年」という漢奸に対する弾劾詩を一篇ここに訳しておきたい。作者は晨光という人で、一九四六年秋頃の、国民党機関紙『中央日報』にのっていたものである。

漢奸、漢奸！
汝は国に叛きし禍殃《かおう》の主にして、
民を迫害せし犯罪人なり！

いと長かりし抗戦苦難の日に、
汝は国を売り出し栄を求めんとせり。
敵に尾を振っては憐みを乞い、
資材を賄い忠烈の士を殺戮《さつりく》し、
虎威をかりて財をなし、
遂には敵に替りて悪を作《な》す。
あまつさえ最後の審判に至りては、
口々に狡弁を弄して曰く、
我、和平救国を志せり、
我、青年を救わんとせり、
虚仮《こけ》の至れる哉。
しかも大言壮語して慙《は》じるところなきは、
良心の昔日に紛失せるを証す。
祖先の顔を泥土に任せし汝等漢奸！
汝等こそは中華民族史上に、
永劫万年の臭気を遺し留むる者なり。

どうしてそういう死刑執行などを見ることになったか。その当時、漢奸や日本人戦犯の処刑は、屢々《しばしば》公開されていた。残酷で野蛮な話であるが、それがそうだったのである。処刑時間のしばらく以前から、偶然に私はその場にいあわせ、そこへ護送車と群衆がわあっと乗り込んで来て、動きがとれなくなったということもあるが、また私には、日本の政治、戦争に協力した中国人の死を、日本人のうち、誰かひとりでも見てこれを、いかにその方法が残酷無慙《むざん》なものであろうとも、とにかくそれを見た人がひとりでもいた方がいいであろう、と思い、嘔きたくなるのを我慢し大量の汗を流して、群衆のたちこめる濛々《もうもう》たる埃のなかに立っていたのであった。漢奸は、首筋から背中に高札をしばりつけられ、それに名前と罪名が墨黒々としるしてあった。引きたてられてその男は、護送車から転げ落ち、芝生に跪《ひざまず》いた。高声な判決文朗読があっての後、兵の一人が大きな拳銃を抜き出し、それを後頭部にあてがった。そこで、私は群衆の海の底にしゃがんでしまった。銃声一発、ついでもう一発、二発目は、恐らく心臓に対するとどめであったろう。それで終りなのだ。群衆は、あまりのあっけなさに（？）ぶつぶつ言いながら散って行く。しかしその場に、この処刑見物をほとんどたのしんでいるに近い人々がいたこともしるしておかなければならない。それはまた私にとって了解不可能な『中国』

の一つの部分をなしている。が、ここでそれを『中国』とすることもまた誤りであるかもしれぬ。この場合には、それを『人間』と言いなおした方がいいのかもしれない。……私は、嘔きたいのだが嘔けない胸苦しさと恐怖で動けなくなり、横たわった、いまのいままで生きていた人の屍体を一瞬だけちらりと眺めた。後頭部が吹き飛ばされているらしかった。

血は、いま殺されたばかりのその人の肉体の形に従って流れていた。屍は、了解不可能なものである。幼児の苦患と、それは似ているかもしれない。病いに苦しみ喘ぐ幼児の眼は、何故わたしはかく苦しまねばならぬのか、と全世界に向って問うている。屍は、ごろりと横倒しになって、『いまいったい何事が起ったのか?』と自らに問うているように思われた。やがて、棺に収容され、トラックはそれを積み去った。やがてホースをもった男がやって来て、たまった血をあっさりと流してしまう。イデオロギーも思想も糞もあるものか、と私は思った。そうして、その場を一歩はなれると直ぐに、私には到底担い切れないほどの重い、しかも無数の想念が襲いかかって来、その想念の数々のもう一つ奥に、死者と同じほどに冷く暗い、不動な、深淵と言いたくなるような場所があることにも気付かされた。漢奸の名において、中国では、戦中戦後、恐らく千を越える人が処刑された。

上海の町々は、むかしと比べたならば、まことに清潔に、きれいになった。けれども、町筋を歩けば歩くほど、私は暗い重い思いがおいかぶさって来るように思ったが、次第に、しかしそれらの物思いは沈んで行って、重慶へと立つ頃には、〝歴史だ、歴史だ〟と積極的に、思うようになっていた。かつての、〝敵〟と〝味方〟と〝漢奸〟の、この三者の流した血が沈んで行って、その上に更に、解放のために流されなければならなかった血が加わり、歴史という、どろどろのアスファルトか、溶岩流のようにもどす黒い、すざまじいものが眼に見えて来るようになって行った。

*

地図を見ていると、ときどきは黄海、東シナ海に、中日双方からどす黒いものが流れ出して来るような気がすることがある。

竜華飛行場では、もうひとつ追憶の眼に浮び上って来たものがあった。それは、かつてこの飛行場から少しはなれたところに、日本のつくった傀儡《かいらい》政権である汪精衛政府に所属する軍隊、つまり重慶及び延安から見て偽軍と呼ばれていたものの兵舎があったのだ。その偽軍の軍旗には「反共救国」という吹き流しか会符のようなものがくっついていたものだった。反共という点では、重慶の国民政府と南京の偽軍とは、文字面だけのことであったろうけれども、共通するものがあったということになるか。この「反共」

という スローガンが、国民政府と日本との開戦以来の〝和平交渉〟の歴史的切札でもあったのだ。この切札が、切札であることは戦後も一向にかわりがなく、この切札はサンフランシスコ平和条約締結のときに、今回はアメリカと一緒になって、あるいはアメリカの手で切られて、いまにそれはつづいていて、日本政府は戦争中と同じく中国人民には背中を向けたきり、背中を向けても手だけは出して商売をしたいという醜さがそこにつづいている。

腰巻き横町・裂け目横町・血の雨横町

帰国してから、あるホテルの酒場で、以前の上海をよく知っていた、あるいは知りすぎていたらしい、中年のアメリカ人に出会った。

彼は、途端に私にたずねた。

「ペチコート・レーンはどうなった?」

ペチコート・レーン（Petticoat Lane）とはある町筋を呼ぶアメリカ人たちの通称で、かつて日本人たちは、適切にも腰巻き横町と呼んでいた。

「そんなものは、もうない」

「じゃ、スリット・アレイは?」

スリット・アレイ(Slit Alley)これを何と訳したものであろう。裂け目横町か。

「そんなものは、もうない」

「じゃ、ブラディ・レーンはどうなった?」

ブラディ・レーン(Bloody Lane)というのは、船着場に近い、船乗り相手の淫売窟街で、日本人たちは、血の雨横町と呼んでいたものであった。この横町で、to shang-hai という動詞がつくられたのであった。動詞シャンハイは、上海でよりも、むしろアメリカ西海岸の港々でつかわれたことばであって、人間をかどわかして来て、無理無態に火夫などにしてしまうことを意味した。

「ブラディ・レーンなどというものもなくなった」

と答えると、彼は、言った。

「おう、おう、では彼等は上海を削《エレーズド》ってとってしまった」

中国人民対外文化協会が、私の求めに応じてタイプしてくれたものによると、解放前夜には、乞食、泥棒、淫売が十万人いて、阿片中毒者のいる家が実に八十戸につき一戸ほどあった。しかもこの連中は警察や特務と結託していてどうにもならなかったが、解放以後、社会が安定し、経済も復興して来たのと、人民の「愛国主義覚悟が提高」して来たことにより、「社会道徳風気が改変」され、大部分の人はこの種の「黒暗生活」から脱出し、教育をうけた。少数の、人民に対して「血債累々たる罪大悪極」なるギャングどもは監獄に入れられ、現在、上海では売淫をもって商売とする娼妓や組織的なギャングはなくなったが、かの腐化した生活方式に恋着している連中は、極少数だが暗中に活動を進行している。公安部門の統計によると、一九五六年上半期に、上海では強盗四件（一九四九年下半期には七三〇件）、窃盗と詐欺が二千余件（一九四九年下半期には一万二千余件）あり、暗娼は五十余人いて、阿片中毒は、もう「基本上絶跡」であるとのことである。因みに、上海の人口は七百五十万であり、東京警視庁の統計によると、一九五七年度東京の侵入盗の総計は、約四万四千件である。

シモーヌ・ド・ボーヴォアール女史は、西欧の男たちと中国における自由の問題を論ずると、すぐに事が自由というものの実体としては、淫売と宗教の問題に行ってしまう、と憤慨かたがた書いているが、自由の問題とはまた別個に、これらのことは、上海における革命が、現在もなお進行中であることを示すものであろう。

惨勝・解放・基本建設

惨勝とはなにか

「惨勝」ということばがある。ある、といっても、そういうことばが中国にあるということを、一九四六年まで私は知らなかった。惨勝とは、惨敗と一対になることばであろう。一九二七年、田中内閣による国民革命干渉のための山東出兵以来、前後十八年間にわたる日本の中国侵略、太平洋戦争、その苦しい戦いから漸《ようや》く両国の人民が免れ出たとき、日本は惨敗し、中国は惨勝した。この惨勝ということばには、その十八年にわたる日本の侵略から、やっとどうにか免れ出て、これを勝利とした人々が、眼を瞠《みは》って戦後の現実を直視しなければならなくなったときの、深い感慨がこもっていた。

当時、私は中国にいて、戦後のただならぬ現実を、いち早く「惨勝」としてうけとった中国の人たちの現実認識に深くうたれた。そして惨敗という、惨憺《さんたん》たる現実を、いち早く「終戦」と規定して、国民のうける心理的衝撃を緩和しようと企図した日本の支配層の、その、たとえて言えば隠花植物のような、じめじめとした才能にも、なるほど、と思わせられた。異様な具合式で、感心させられ、さえした。一民族の、どん底の基底というものは、結局、その民族の現実認識の能力如何にかかっている。

勝利直後の、フタをあけてみたときの、中国は、いったいどんな工合であったか。十八年にわたる戦災、洪水、饑饉《ききん》、内戦、日本側からの産業接収に際して起った混乱、損耗、救済物資と称する外国物資の氾濫、それによる民族資本、民族産業の崩壊、投機、倒産、天井知らずのインフレ、失業者、難民、そして内戦――まんなかに慶祝抗戦勝利という六つの大文字、その両側に、還我江山、江山光復（江山我ニ還リ、江山ハ光ヲ復セリ）という美句のかざられたドン帳をめくってみたとき、戦後の現実は、人々をぎょっとさせたわけである。

十八年にわたる戦災――これはもう説明を要しないだろう。われわれのうけたそれから、ある程度中国のそれを類推することを、中国の人々もいまは許してくれるだろうと思う。東北（満州）を除いては、先進諸国との比較において揺籃期を脱したとは言いきれぬ中国の工業はほとんど潰滅し、ずたずたに切り裂かれた単なる農業国家が、そこに、あった。

そしてここにも、現実認識の問題はついてまわる。抗戦中、中国の、単に知識人たちのみならず、非常に大きな、莫大な数にのぼる人々は、ある人は流氓《りゅうぼう》として、避難民として、あるいは流亡学生、流亡教授、流亡知識人として、また多数の人々は、軍人として、工作者として、中国の非常に広大な地区を、辛苦にみちた旅をした。それは、われわれの国における疎開などとは、規模もスケールも大違いなものであった。その旅を通じて、彼らは、広大で、変化に富むなどといってもはじまらぬほどに変化に富む、中国自体の広さと深さとを、深く認識した。戦いを通じて、中国は現実の中国を知った。戦いのあいだを通じて、中国は現実の中国を知り、過去と現在のありさまを、地域的にも、社会的にも広く、深く知った。そしてその認識の上に、勝利と勝利後の建設、近代化、工業化、民主化の夢が築きあげられていた。が、戦後の現実は、これらの夢の一切を、叩き潰しこそすれ、それの実現に向うようなものではなかった。

例を一つあげよう。民主化と関連するものとして、言論の自由の問題を。戦時中、昆明は、政治都市であった重慶とはことかわり、一種の中国大後方文化の中心都市という に近い性格をもっていた。それはまた同時に、アメリカ空軍の基地でもあったのだが。昆明には、多くの学者、文学者があつまっていた。西南連合大学という、日本軍占領地区から移動して行った大学が、それぞれ連合してつくった大学があった。一九四五年の対日勝利記念日の直後に、この大学の教授学生の有志主催で「請願和平、反対内戦」を主張する集会が催された。この集会に、国民党の特務が手榴弾を投げ込み、学生が四人死に、十四人の負傷者が出た。一年後の、一九四六年七月十一日の白昼に、昆明警備司令部の特務が社会大学副校長の李公樸教授とその令息を街頭で射殺した。四日後の七月十五日に、李公樸父子の暗殺に抗議して、「反対内戦、建設和平、反対恐怖政治、樹立連合政府」などのスローガンをもつ集会が催された。集会で演説をした、著名な学者である聞一多教授が集会からの帰りに、街頭で射殺された。李公樸氏も聞一多氏も、反対内戦、建設和平を主張する十二名の教授からなる委員会の委員であった。また昆明では、アメリカ空軍の残して行った武器、物資をめぐって、中央軍と地方軍閥との間に、醜い戦闘が起りさえした。中国の将来との関連において、人々はこれらの出来事を何と見たか。

洪水について――一九三八年六月十一日の夜半。日本軍の攻撃に対応し、蔣介石は河南省中牟西方の京水鎮及び花園口附近において黄河堤防三カ所の破壊を命じた。このとき以来、黄河濁流の大部分は東北方の渤海にではなく、東南して河南、安徽、山東南部、蘇北などの諸省に分流し、中原に厖大《ぼうだい》な溢水《いっすい》地区をつくり、ついにあるものは揚子江に流れ込んでいた。一九四五年秋、国連の救済機関であったＵＮＲＲＡ《アンラ》、中国共産党、国民政府の三者は、山東北部渤海にいたる黄河旧水路の河床を耕作している四十万農民の移住のあてが出来たら、という条件で黄河を旧水路に復せしめる協定をつくった。けれども、国民政府側は、内戦の必要に応じて復旧工事を早めろと命じたり、あるいは爆撃・銃撃によって工事を妨害したりした。黄河は農民のものではなくて、戦術的な武器の一種かと見えた。それは解放区分断作戦の一つと見られぬこともなかった。そして、決潰口が閉じられ、黄河濁流が旧水路を進めば、中共中原の拠点の一つとしての山東解放区は、潰滅的な打撃をうけるかもしれなかったが、それは必ずしも農民が国民党側につくことを意味しなかっただろう。農地解放は、中国共産党の手で段階的に押し進められていたから。日本軍と国民党軍は、封建制度の維持という点では、共通点をもっていた。

饑饉について——たとえば、上海という一都市が生きて行くだけのためにも、つまり、食える階級が食い、食えない階級が飢えて行くためには、一カ月に八万トンばかりの米を必要とした。しかし、蘇北、江南に、いかに沃野があっても、運輸交通がメチャメチャになっているなら、どうしてそれを運ぶか。たとえそれが運ばれて来ても、煮焚をし、電気をつけて行くためには、石炭がいる。石炭は、華北、武漢附近、四川省に出るとしても、それを運ぶ船がぜんぶ内戦用に使われているとしたらどうしたらいいか。

内戦について——あるとき上海の市電に乗った。車掌のくれた切符の裏には、「撤退美軍、停止内戦」（米軍は撤退せよ、そして内戦を停止せよ）というゴム印が捺してあった。

またあるとき私は、それは国民党側の謀略であったかもしれぬが、「反対毛沢東内戦路線」というビラを見た。そのビラには、中国共産党華東総局という署名がしてあった。そしてそのとき、私は中国共産党もまた戦後の現実に処して、苦しみ抜いていることを感じさせられた。内戦の問題については、後にもういちど触れるつもりである。

日本側からの産業接収に際して起った混乱と損耗について――私は、ある小さな工場の接収風景を現実に見た。産業は接収の如何にかかわらず操業を継続すべく命じられていたが、それは不可能であった。先ず、重慶から、と称する接収員が軍隊をつれてやって来た。その接収員が質問を発した。第一、「金庫はどこにあるか」第二、「在庫品はどれくらいか」第三、「車輛は何台か」第四、「所有者（日本人）の所在如何、どのくらい金をもっていると思うか」。彼等はこの工場を「敵偽財産」として接収し、国有国営とする旨を宣言し、封印をした。労働者たちは、漢奸《かんかん》か暴民のような扱いをうけた。そして金目のものはぜんぶ車輛で運び出して売りとばした。製品はいうまでもなく、原料、機械類潤滑油まで売った。車輛はもとより、運び出されたものはもどって来なかった。それっきり、音沙汰がなかった。国有国営というけれども、国とはいったいどこにある何なのか、見当もつかなかった。操業は当然停止し、工場は、荒廃した。労働者は街頭にさまよい出、何かの機会があれば本式の暴民にならざるをえない。それからしばらくすると、正式の接収員が来た。先の接収者は、旧南京政府の悪漢どもであり、彼らのつれて来た軍隊は偽軍である、ということになった。

救済物資と称する外国物資の氾濫とそれによる産業破壊について――戦争がおわると同時に、私は眼をみはらなければならなかった。国際連合の救済機関《アンラ》物資が、言い換えればアメリカが戦争用につくりすぎた物資が、洪水のように雪崩れ込んで来た。それは解放区、国民党地区を問わず、全中国に行きわたるべきものであった。善意のアンラ職員が困難と戦って救済物資を解放区へもち込み、そこで解放区の状況について深い印象をうけて来た。けれどもとにかく内戦がそれの行きわたることを阻んだ。従って、それらの物資は、文字通り、上海の街頭に溢れた。カン詰め食料などにつづいて、いったい、いまのいま、こんなものまで要るのか、と思われるものが、これも大量に入って来た。いわゆる救済物資だけではなくて、密輸による、プラスティクのハンドバッグ、高級化粧品、酒、薬品、菓子……。アンラ当局の善意を疑うことは出来ないけれども、それは完全にダンピングであり、悪意に解すれば、戦後の市場確保のための誘い水のようなものであった。それらのとびきり安くて優秀な米国製品は、民族産業を叩き潰した。ここでも善意のアンラ職員たちが深く悩んだことを私は知っている。カン詰めの南京豆は、南京豆売りを失業させ、カン詰めの粉ミルクは、牛乳屋を失業させた。牛乳屋は生きた牛をひきつれてデモをし、これら救済（？）物資を売っていた街頭商人たちが、都市の美観を害するという名目で逮捕されたとき、一大暴動が起きた。それは一九四六年晩秋のことであった。すなわち、戦後に、民族資本家も、最下部の大衆も、連合国であったはずの米国資本主義が、中国の産業を救済（？）しすぎて、ついにはこれを昇天させてしまうかもしれないということに、気付いていた。救済は、植民地化、従属経済をもたらすことに、気付いていた。

インフレーション――一九四五年八月当時、中国の物価は一九三七年にくらべて六十万倍になっていた。一九四六年、私は国民党宣伝部に留用されていて、四十万元の月給をもらったことがある。職員の給料を銀行からもって来るためにはジープが必要であった。食住は宿舎でタダであったから、小づかい程度のものであるけれども、それでも四日するともうカラッケツになった。誰も紙幣をカネだとは思っていなかった。アメリカドルだけがカネであった。人力車夫や苦力《クーリー》でさえがパーカー51やマックス・ファクターの口紅、ペニシリンや、血清であるプラスマを買いあさったりしていた。中国の字も、英語も読めぬ人々は、プラスマが何の役にたつものか、知りはしなかった。金を盗もうと思うものなどいなかった。けれども、ここに留意すべき数字がある。対日戦終結当時、中国の外国為替保有高は、米国国務省の発表によれば、中国史上最高のものであった。

国民政府が戦争末期に所有していた主な国庫財産は、金条《ゴールド・バア》及び米ドル為替の、中国経済にとっては未曾有の積立てで、四五年末には九億米ドル以上に達し、私人保有になる金、銀、外国為替、外国紙幣は、正確には定めがたかったにしても数億米ドルにのぼっていた。ということは戦争は、好運だった人、あるいは勇敢で企業心に富む実業家にとっては、決して損な戦争ではなかったと推定すべき理由が成立する。しかし、この九億米ドル以上の蓄積は、一九四二年三月二十一日付米華協定による米国からの借款五億ドルの大部分が支払われずに残っていたことと、駐華米軍のために国民政府が前払した法幣ならびに諸費用に対する約四億ドルの米国戦費支払によって成立したものであり、それは戦後の米国に対する従属性を決定するための主要な要因の一つに、充分なりうるはずのものであった。更に、一九四七年の米華友好通商条約は、百品目以上のアメリカ商品に対する輸入税を二分の一から六分の五も引き下げ、民族工業は決定的な打撃をうけた。

内戦――これについては別にふれたいと思うけれども、内戦は、単に国民党軍と中国人民解放軍とのあいだで戦われただけではなかった。国民政府が重慶から南京に遷都すると、もうすぐに、四川省からは「土匪兇災情重還要徴実、人心惶惶怨声載道」という報道がつたわって来た。農民たちは、長い長い抗戦中の労苦にかてて加えて、戦勝後に、ひと息つくどころか、ただちに土匪《どひ》と戦い、国民政府が勝利後には農産物の現物徴発をやめるといっていたのに、その約束が、つまり「勝利免徴」という約束がまったく無視され、収奪がつづくという現実にぶちあたった。

失業者、難民――これについて言う必要はもうないであろう。しかし、一言言っておかなければならぬことは、難民といってもピンからキリまであるということである。飛行機をチャーターして、金条《ゴールド・バア》をつみこみ、香港、アメリカ、南米、ローマ、パリなどへ逃げていく高級（？）難民もあった。そして、そういうピンではなくて、キリの方に属する難民たちは、次第に組織されて行った。別して、延安の地下工作員が組織したというのではなくても、組織がなければ人間であることが出来なくなって行ったからである。この組織は一九四六年晩秋の上海大暴動で効果を発揮した。組織があれば、暴動に際して、たとえばデパートの飾窓をぶち破り、そこから中へとび込むについても、特別な効果をもつことが出来るということがわかった。

中国において抗戦勝利という、この四つのことばにかかっていたものは、日本における戦争についての勝利とか完遂とかいうものと、イメージがまるきり異っていた。先に四川省からの報道について述べたことからもいくらか察していただけるかと思うけれども、抗戦勝利にかけられていたものは、結局は、社会革命だったのである。「解放」だったのだ。そうして、より一層の深みでは、それは中国の統一であり、従属ではなくて、独立であった。

勝利という、フタをあけてみたら、ガッカリ以上だったということ、そのことのイメージが深く滲透した。しかも放っておけばアメリカの従属国にならざるをえないということが、街頭に充満する事実でもって、上層下層を通じて、いやでもおうでも知らされた。知らないでいることが、どうしても出来なかった。八月十一日、日本がポツダム宣言を受諾した旨の、十日夜半の同盟通信放送が上海で傍受されたとき、町々の壁には、途端に、といっていいほどの素早さで無数のビラがはりまわされた。慶祝勝利とか、還我江山とかいう文句にまざって、いち早く「提高工人生活」という文句が出ていたことに、私はうたれた。

惨勝ということばは、これらの戦後現実の正確な認識を、一言でもってあらわしていると思う。惨敗を「終戦」といいつくろい、占領軍を「進駐軍」といって、ことばの上で、あるいは定義の上で、きびしい現実をやりすごす、肩すかしをくわせて行く認識とは、どこかちがうように思う。それはごまかしであって認識ではない。

私が、はじめてこのことばを見たのは、一九四六年夏、上海の国際飯店《パーク・ホテル》の裏通りにあった華夏書店で買った、延安発行の『解放日報』紙上において、であった。この本屋は、主として派手な表紙の恋愛小説、現在の日本のことばでいえばヨロメキ小説や芸者や女郎の評判記などを主として売っている本屋であった。それらのヨロメキ小説や芸者評判記をつみかさねたその下の方に、おそろしく汚い、便所の紙のような紙に、これまたおそろしく読みにくい、すり切れた活字をこすりつけるようにして印刷された延安発行になる書物、パンフレット、新聞などがかくしてあった。その当時、国民党系の新聞には、国連安全保障理事会において拒否権をもつ五大国の一、五大国ということについての、いささか夜郎自大と見えなくはない論がいろいろとのっていた。延安がどうして正確な認識をもつことが出来たか。

その理由について、専門家でもなんでもない私は、たちいる資格がない。しかし、それが延安にあるということを知らされた。この本屋は、何度か特務たちに襲撃され、この店に立入ることは、いくらか危険なことであったらしい。

解放と中華人民共和国の成立の、一つの出発点がこの惨勝という認識から出発している、と私は思う。がしかし、それは要するに、中間的な出発点――ということばは妙な具合だが――にすぎない。

解放ということ

一九四五年八月、中国惨勝当時、及びそれ以前、以後、中国及び中国共産党をめぐる国際的環境、情勢はどうなっていたか。中国共産党とソヴェトとの関係においては、また中国の知識階級とソヴェトの対華政策との関連においては、そこに一九三九年の独ソ協定が、ヨーロッパの、特にフランスの知識人たちに与えたと同じくらいの、衝撃的な事件があった。といえば、眼をむく人があるかもしれない。

けれども、それは事実なのだ。

一九四四年の九月はじめに、駐ソ米国大使のハリマン、ネルソン、ならびに駐華米国大使ハーレーはモスクワでソ連外相モロトフと会談した。その際に、モロトフは、

一、いわゆる中国共産党は実際は共産主義者でもなんでもない。

二、ソ連政府は中国共産党を援助していない。

三、ソ連は中国の対立または内戦を希望しない。

他にもう一項目、この四項目の言明を行い、越えて一九四五年四月十五日には、ハーレー米国大使は、同じくモスクワで、スターリン、モロトフと会見し、後者二人は、前

記のモロトフ言明をもういちど確認している。ただ少し違うのは、この再確認をうるに際して、ハーレー大使の側で、第一項目について「モロトフは前回の会談で、中国共産党は、実際は全然共産主義者ではないと言った。彼等の目的は中国で必要とし、かつ正しい改革を行おうとするにあること」という、「解釈」を加えていることである。このハーレー大使の、四月十七日付スターリン、モロトフ会見についての報告書は、非常に興味深いものである。「スターリンは蔣介石に好意をよせ、たとえ国民政府内に腐敗分子があるとしても、蔣介石は『無私』であり『愛国者』であること、かつてソ連は彼を助けたことがあることを知っていた」というところもあり、また、サンフランシスコにおける国際連合創設に関する会議に、国民党代表とともに、中国共産党の代表をも参加させるべきであるとして、そのイニシアティヴをとったのは、アメリカでありルーズヴェルト大統領であり、スターリン、モロトフはそれについてむしろ承認を求められたにすぎないということを知ることが出来る。

　こういう経緯があって、一九四五年七月の第一週からモスクワにおいてスターリン、モロトフ、宋子文、王世杰のあいだに中ソ友好同盟条約の締結交渉が開始され、八月十四日にそれは調印され、成立した。これに附属した覚書のなかに、ソ連は精神的支持と軍事的援助とを「中国の中央政府たる国民政府」に対してのみ与えることを約束した。

これらのことは、その当時においてはあたりまえのことであって、何等異とするにあたらぬという人があろうと思う。それはそうでもあるだろう。

けれども、私の知る限り、この中ソ友好同盟条約そのものよりも、しばらく公式に発表されなかったかに記憶のある附属の覚書の方が、中国の老若の知識人に与えた衝撃は強烈なものであった。中国の人民と自然を、中世的な秩序にとじこめ、現代、近代的秩序と運営の方は、植民地化というに近い秩序をみちびき入れるにひとしいことになることではまったくなくて、人民と自然の全体を、直接に現代のなかへ解放しようという中国共産党の解放運動を、人民解放の先達である筈のソヴェトは見殺しにしようというのか、もしこの条約が一時的なものであるというなら、なぜそれの調印を、戦後世界の混乱についての見透しが一応出来るまで延ばさなかったか、と彼等は疑った。

一九四五年八月、対日戦の最終段階においてソヴェト軍が東北へ攻め込んだ。同時に中国共産党八路軍の正規部隊も遊撃隊も戦闘をはじめ、全組織をあげて東北、華北の大部分の土地を解放した。ところが、蓋をあけてみると、ソヴェトと蔣政権は、友好同盟条約を結んでい、東北、熱河、華北などの地方で苦闘していた共産党、軍は、都市へ入ることを禁じられた。日本軍は、紅軍に対して降伏することを禁じられていた。いったい、何が起ったのか？　人民解放の努力はいっさい、惨勝とともに瓦解しなければならないのか。太原へは、旧軍閥であった閻錫山軍が、日本軍の運転する武装列車に乗って侵入して来た。この軍の武器は、彼らの留守に農村をまもって来た農民と紅軍に向けられた。

対日戦終結当時、日本軍及び居留民を帰国させるという使命をもった米国軍隊は、上海、南京、北京を含む華北華東地区に、国民政府三コ師を空輸し、その後数カ月間に四十万—五十万を船舶によって輸送した。私は一九四五年秋、上海の碼頭で、ある若い兵士と話したことがあった。彼は、学生兵であり、ビルマで訓練をうけ、日本語と英語を学び、日本占領軍に加わるという話であったが、東北へさしむけられることになった、と言った。また彼は、戦後になぜ内戦をしなければならぬかについて、充分な理解をもっていなかった。熱地で訓練された兵を、冬の来る東北へ派遣する無理がそこにあった。米国海兵隊は、五万五千の兵を華北に上陸させ、北京、天津及び天津地方の炭鉱と地方鉄道を占領し、更に二十二万八千の国民政府軍を東北に輸送した。また米軍は、武器弾薬、運輸通信施設、軍用行糧衣服、衛生薬品等、莫大な物資を持ち込んだ。米軍は、また特使マーシャル将軍は、一方では国共を調停し、他方では国民党軍を援助するという、むき出しの矛盾をかかえこんでいた。アメリカもソヴェトも流動する現実に対処しきれなかった。

これらの、強力無比な力を背景として、解放区の叩き潰しがはじまった。それが「内戦」ということの実質だった。

これらの現実と、スターリン・宋子文間にむすばれた中ソ友好同盟条約との関係が次第に人々の眼に明らかになって来たとき、ある左翼インテリが、私に次のように言ったことがあった。

「スターリンのことを、われわれはいままで史大林と書いて来た、これからは、死大林と書いてやろうなどという人もいましたが、しかし、とかくそういうことを言いたがるような人は、人民にとってはそれほど実際の役にたつ人ではありません」と。

ということは、独ソ協定がヨーロッパの、特にフランスの知識人に与えた衝撃とは、まったく異なる衝撃がそこにあったということである。私は、いまでもありありと覚えているこのことばのうち、死大林云々というショッキングな前半よりも、静かな語調で語られた後半の方に深い意味を見出す。私は、このことは、中国の問題を考えるについて、つねならず重要なことだ、という考えをもつ。すなわち、この衝撃は、中国知識人に対して、反省をもたらした、ということが、当時私の接した限りでは言えると思われる。それが、どういう反省であったかといえば、それは彼らが各地に厖大な解放区を築き上げるについて、農民を地主や軍閥から解放するについて、何か不必要なことをしたかどうか、人間が人間らしく暮すについて何か不自然なことをしたかどうか、という反省をもたらした。彼らは、アメリカ、ソヴェトなどとの関連における国際情勢、史大林であろうが死大林であろうが、さもあらばあれ、中国の現実においては、根本的には何らの不必要、不自然なことをしたことはなかったという、自信に、再び立つことが出来た。そこに、革命解放の内在性、自律性を読みとることもできるであろう。

ここに、「惨勝」という国内の現実認識と相伴うべき、中国をめぐる国際情勢から演繹されて来た、動かぬ現実認識があった。その戦後においての、基本的な出発点の第二のものがあった。私はいまそれを、基本的、と呼んだ。けれども、これもまた後にふれるけれども、実は先にも言った意味での中間的な出発点にすぎないのであった。彼らは、その当初からして、中国人民のために当然なすべきことを為しているという自信に立っていた、ということを実感をもって知ることが、今回の私にとって第二回目の中国経験によって出来た。

一九四五年八月二十八日、毛沢東は重慶に乗り込んだ。これは、パトリック・ハーレー大使が自ら、そしてわざわざ延安まで出掛けて行って、重慶に来るように説得依頼した、それに応じて、ハーレー大使とともに同乗して空路重慶に入ったものであった。

私たちは、今度、重慶で曹家岩五〇号という番地をもつ「八路軍重慶弁公処」、つまり中国共産党の重慶におけるかつての代表部を見学した。そして一同おどろいた。この事務所は、重慶市中の、街頭マーケット街ともいうべきごたごたした通りの、その奥まったどんづまりのところにある粗末な二階家であった。おどろいた、というのは、これに対する国民党側の警戒、保護（？）の猛烈さについて、である。入口には、いうまでもなく、国民党特務の控え室があって、訪客をいちいち監視し、記録し、写真をとる。そして二階には、いろいろな事務室があるのであるが、そのいちいちに特務の監視室があって、八路軍及び共産党代表たちが、いかなる意味でもプライヴァシーをもつことが、出来ない仕掛けになっていた。プライヴァシーがないからには、彼らだけの、他に知られない会議討論などをもつことは、あれでは恐らく不可能であったろう、と思われる。おまけに、嘉陵江の雄大な眺めにのぞむテラスは日本軍の飛行機に爆撃され、更にもうひとつのおまけは、二階の特務たちの控え室からは、つい五六軒ほど先の方にある、秘密政治警察、特務の親玉である、調査統計局長戴笠の家がはっきりと見透される仕掛けになっている。また階下の部屋は、すべて二階の特務控え室から、天井にえぐった穴を通じてのぞくことが出来るようになっている。家そのものの部屋割りや階段、廊下などのはりまわし方、構成は、中国式の洋館をいくらか知っている私にとっても、なんとも珍奇、奇怪なことになっている、とびきり例外的な妙な家であった。それはつまり、特務にとって絶対的に便利であるような工合に、ということは、主人である筈の中共代表たちにとって便利にということではまったくなくて、もっぱら監視用に出来ているという、世界にも例のないと思われる家であった。だからそれは中国共産党代表部であるよりも、むしろ特務の家というべきものであったろう。何等かの自信と使命感がなかったら、あんな家に、プライヴァシーというもののまるでない、敵のなかの家、敵だけであふれそうな家に一週間も住んだら、なみ普通の人は神経衰弱になることは必定であろうし、監視する側から言えば、そうさせることが目的でもあったろうから、ここに住んで作戦をねり、重慶政府と交渉をつづけた周恩来を代表とする中共代表たちの鉄の神経には、私は呆れてしまった。

つまり、毛沢東、周恩来などが、たとえ自分たちが殺されても、中国革命は必ず成就するという、絶対的といいたいほどの自信がそこにあった、ということが異様な迫力をもって迫って来る。ジュネーヴへ巨頭会談に出掛けて行くこととは、まるでちがうことなのだ。

しかもこの特務の家で、毛沢東が、あの晴曠雄大な詞「雪」、そのなかで、秦の始皇帝、漢の武帝、唐の太宗、宋の太祖、ジンギス汗などを相手どった詞をねったのかと思うと、あいた口がふさがらない感じであった。この詞は、機上で即興につくられたものともいわれているが、重慶の『新民晩報』に発表するについては、少くともこの家で読みなおしくらいはやったものだろう。しかし、それは「まるで近代象徴詩のように」難解をきわめ、私などのような無学なものには到底扱い切れるようなものではないので、ここでは貝塚茂樹教授の厄介になることにする。すなわち、

北国風光、千里冰封、万里雪飄。
望長城内外、惟余莽莽、大河上下、頓失滔滔。
山舞銀蛇、原駆蠟象、欲与天公試比高。
須晴日、看紅装素裹、分外妖嬈。

江山如此多嬌、引無数英雄競折腰。
惜秦皇漢武、略輸文采、唐宗宋祖、稍遜風騒。
一代天驕、成吉思汗、只識彎弓射大雕。
倶往矣、数風流人物、還看今朝。

北国の風光、千里冰《こおり》封じ、万里雪飄《ひるがえ》る。

長城の内外を望めば、ただ莽莽《ぼうぼう》たるを余し、大河の上下、頓《とみ》に滔滔《とうとう》たるを失う。

山は銀蛇を舞わし、原は蠟象を駆り、天公と試みに高きを比《くら》べんと欲す。

晴日をまって、紅装素裹をみれば、分外に妖嬈なり。


江山かくの如く嬌多く、無数の英雄を引いて、競うて腰を折らしむ。

惜しいかな秦皇（秦始皇）漢武（漢武帝）は、略《ほぼ》文采に輸《おと》り、唐宗（唐太宗）宋祖（宋太祖）は、稍《すこし》く風騒に遜《ゆず》る。

一代天驕成吉思汗《ジンギスカン》は、たゞ弓を彎《ひ》き、大雕《わし》を射ることを識るのみなりき。

倶《とも》に往きぬ、数《いくばくの》風流人物、還《なお》今朝を看るや。


この詞についての註解は実にたくさんある。私の見たものだけでも、貝塚茂樹、岡崎俊夫、菊地三郎の三氏の三論、郭沫若氏のもの、中国青年出版社版『毛主席詩詞十八首講解』のなかの臧克家氏のもの、西欧語への訳では Robert Payne（"Mao Tse-Tung" London, 1951）のもの、G.G. Stephen Chow と Robert Desmond による仏訳（"Mao Tse-Toung: Dix-huit Poèmes" Paris, 1958）などがあるが、ここではロバート・ペインの評を抄しておくにとどめたい。ペイン氏は、毛沢東が彼の祖国の全歴史、全風光、全民間伝承を短い詞のなかに伝えることに成功してい、しかもなかなかにエロティクな表現もそこにあることを指摘し、この詞の靭《つよ》さに比べ得べきものとしては、ヘルダーリンの“Patmos”という詩をわずかにあげうる、と言っている。蔣介石の主著である『中国の命運』と比べてみるとき、私は文学に携る者としては、どうしても『中国の命運』一冊は、この詞一篇に及ばないと言わざるをえない。もとより『中国の命運』一冊は、中国に対して歴史的な負い目のある日本人としては一読の値のあるものであり、またそれに値するものではあるが。毛沢東のこの詞をよくよく読むと、そこに言語に絶する労苦があったことは言うまでもないが、一九四九年、全中国の「解放」を迎えたとき、毛沢東は恐らく当然の推移を迎えたというふうに思ったのではないか、と思わざるをえない。

毛沢東は、一九四五年十月十一日、空路延安へ帰った。

一九四五年十一月二十日、中国地域米軍総司令官アルバート・C・ウェデマイヤー中将は、国民政府が、東北（満州）を完全に支配する責任をとり得るだけに十分に強く、かつ安定した政府になるまで、東北を米、英、ソ三国の信託統治のもとに置くように、と結論的に、ワシントンに勧告した。これが、恐らく解放の勝利を認めた外国人による最初の公式報告であったろうと思われる。

しかし、いったい『解放』とは何か？　私は思い出すのだが、一九四六年に、国民党宣伝部に留用されていた私は、ある大学へつれて行かれて、そこで日本についての話をさせられた。そのとき、一人の学生が、次のような質問をした。すなわち、日本の共産党は米占領軍を解放軍と規定したという話を聞いたが、いかに民主化をとなえようとも、資本主義の国から来た軍隊が、最終的に人民解放を支持しようとは思われない、意見如何、というのであった。これにはただでさえ政治のことにうとい私はしどろもどろの目にあわされた。『解放』とは何か。今度の旅行を通じて、私たちは、「革命」「革命以前」、あるいは「革命以后」ということばづかいを、中国の人から聞くことがほとんどなかった。ほとんどすべてが『解放以前《チエフアンイチエン》』『解放以后《チエフアンイホオ》』といっていた。そのことから、私は素人考えというものにすぎないかもしれないけれども、中国共産党と中国人民解放軍による、新民主主義革命――社会主義革命というものが、革命そのものよりも、その実質実体としての、人民解放、中国の自然とその資源の、人民全体のための解放、人民と自然のエネルギーの解放として、つまり実質実体的なものとしてうけとられているということを、それは動かぬものとして感じさせられ考えさせられた。それはもはや、日本人と西欧人インテリの特質をなす、あの方法論《メトドロジー》好き、イデオロギー論や政治についての方法論《メトドロジー》に対する偏執性ともいうべき好みなどをのり越えて、実質実体として把握されている。

だから、民族の人生（というと妙に聞えるだろうが）と、個人個人の人生とが、解放以前《チエフアンイチエン》と解放以后《チエフアンイホオ》とでは、くっきりとわかれて、民族としても、人生としても実体的に把握されている。それはおそらく、明治維新のとき、御一新ということばによって、日本の歴史が、民族としても、個人としても、くっきりわけて把握されていた事情と似ているであろうと思われる。現在の日本における、戦前、戦中、戦後という区分けは、個人の人生においてはくっきりしたものがあると思われるけれども、民族としては、戦争責任者が戦後の政治の責任者として見事にえらばれ得るという事情によってくっきりと行っているという具合ではないと思われる。

ところで、「解放」ということについて、一つ二つの例をあげて考えてみよう。

私たちは、重慶で、その市内には入っているが、市中心から自動車で約二十分ほど離れたところにある覃家崗郷というところ、日本流にいえば覃家崗村ということになるだろうが、そこにあるいくつかの農村合作社のうち、新立農村合作社を訪れた。ここの郷長（村長）は、杜永霞さんという三十一歳の女性であった。また二十六歳の鄭湘輝（男）というこの合作社の社長、同じくこの合作社内の文昌廟生産隊長である劉素貞さんという三十一歳の女性に会った。以下にこの三人の話を綜合しておつたえしたいと思う。

解放以前、この村の土地の九五％が地主所有であり、農民は地主から土地と農具を借りて耕作し、あとの五％が自作農及び中農であった。農民の負担はすざまじいものがあった。第一に租金、これは鉄板租ともいい、豊作不作にかかわりなく一定額を地主に収めなければならなかった。第二に、活租というものがあった。これまた豊作不作にかかわらず出来高の九〇％を地主に払わなければならなかった。第三に圧金というものがあった。これはいわば敷金であって、地主に一定の金をあずけておき、以上二つの額に相当するものが払えなかったとき、そのなかから取ってもらい、それがなくなったら小作は土地から追い出されなければならなかった。この他に、春節、端午節、中秋節の三節には、卵、新穀、豚、モチ米などを贈り、普通のときの五分の一の報酬で働かなければならなかった。こうして働いて、一年働いて三カ月の生活費用しか得ることが出来なかった。一年のうちのあと五カ月は、溝か道傍を耕して食い、冬は二食しか出来なかった。衣服一着で、七、八年はすごさなければならず、布団一枚につき十年はがまんしなければならなかった。一カ月一世帯につき、ランプの油は一斤（五百グラム）しかつかえなかった。モミ一石を売っても、魔法ビン一つしか買えなかった。いかなる工業製品にも手が出なかった。従って農民の八五・二％は生活困難者であった。八三％は、鉤虫病という、寄生虫による一種のヨイヨイ病のようなものにかかっていた。子供は十人生んでも三四人しか育たなかった。学校へ行くものは、地主と富農の子弟だけだった。八五％が文盲であった。害虫が襲ってくれば、手をつかねて見ているより仕方がなかった……。

蔣介石は、たしかに約束をした。減租をするという約束はたしかにしたのである、抗日戦勝利後に、という期限つきで。そのことは農民の強力な要求があったということをあきらかにしているのであるが、それを実現することは出来なかった。先に引用した一九四六年当時の四川省からの報道のなかに、「還要徴実」ということばがあったことは、とにかく約束だけは存在したということを証明している。

解放以后、一年を通じて三食を食べることが出来、以前は食べることの出来なかった豚肉、それに魚肉も、養魚池が出来たために食べることが出来るようになった。果樹園も出来た。鉤虫患者は三％に減った。子弟は一〇〇％就学するようになり、この合作社だけで六つの学校をもち、三十六のクラスが出来た。大学へ行っているものもいる。子供は死ななくなった。生産は上った。人民政府は、農民を援助し、新品種と新技術を紹介導入し、化学肥料、農薬等を供給してくれ、以前の一毛作が、いまは米二回、小麦一回の三毛作が出来ることになった。もともと四川省は、南国的風土のところである。政府に収めるものは、米百斤について七斤であり、その他の収入をいれて、全体としての税金は、全収入の二％である。社員の八一％は、以前の生活としては中、富農の生活をしていい、貯金は、一戸にならして大体九十元から四、五百元（一万四千円くらいから七万五、六千円くらいか）くらいはとにかく出来た。農民が貯金をもつなどということは、以前には考えることの出来ないことであった。そこに、全国各所において大々的な基本建設を行い、古寺や遺跡までを修理保存している、その莫大な費用をまかない得る、今日の人民政府の非常な富裕さ加減の理由があると思われる。彼らは、衣服も大人子供平均して一年に一着はつくれるようになり、布団も三年に一つ新しいものをつくることが出来るようになった。村で一％くらいは労働力のない家がある。それに対しては、合作社から五保と称せられる補助を与えている。五保の内容は、衣食住教育葬式の五つである。「私たちはいまの状態に満足してはいません、もっと進歩して機械がつかえるようになりたいと念願しています」……。

ここまでいたるについては、痛烈な事件がなかったわけではない。この郷でも、租金を収めない農民を殺したり、強姦などを犯し、しかも土地解放に反抗した地主は、二人、処刑されている。

この合作社は、とにかく都会に近いのであるから、そう貧しい合作社であるとは思われない。けれども、その生活水準は、大ざっぱなところ、関東平野の農民の（――といっても大ざっぱなはなしであって、比較は本来不可能であろうけれども）、まず四分の一以下、くらいではなかろうか、と思われる。これが、解放以后の成果である。私は不敏にして、この合作社創設の時期を聞き洩してしまった。都会に近いから解放後のわりに早い時期に出来たものであるかもしれないが、ここで一九五七年二月になされた毛沢東の「人民内部の矛盾を正しく処理する問題について」という報告中の、「全国の大多数の合作社は現在まだわずかに一年あまりの歴史しかもちません。わたしたちがいますぐこれに完全であることを求めるのは、合理的ではありません」ということばを思い出しておくことは無駄ではないであろう。

これらの説明を私たちにしてくれた三人のうちの、郷長の杜永霞さんは、貧農の生れで、二つのときに母を失い、四つのときに父を亡くした。八人あった兄弟姉妹のうち、七人は病死、あるいは餓死し、彼女は幼いうちに童幼嫁として買われて行き、しまいには乞食までをし、その当時、もちろん字は読めなかった。そのことを苦痛をこめた誇りをもって私たちに話してくれた。解放は、複数の杜永霞さんの人生にくっきりとした一線を画している。

上海のある居酒屋で——私は居酒屋の主人と、ぼつぼつ思い出しながら上海語と北京語まぜまぜで、おぼつかぬながらに話をはじめた。主人は、不思議なことに北京語を喋った。北京人かと聞いてみると、上海人であるといい、解放以后、字をならい北京語を覚えたという。北京語は、非常な勢いで全国に普及しはじめている。それは中国が一国家とし急速に統一整合（integrate）されはじめていることを意味する。子供が七人あった。一人は大学へ、一人は中学へ、一人は小学校へ行っている。あとの四人は解放以后に、途端に生れて来た。覃家崗郷では、解放以前、貧窮のため、農民の八〇%は結婚出来なかった。上海で、三輪車夫にたずねた。細君はいるか？　と。解放以后《チエファンイホオ》、暮せるようになったから、嫁をもらった。妻は、清潔隊（道路掃除）で働いている、という。

解放の深さ――それは、人間が人間として暮せるようになった、ということだ。貧農は、以前は、女の子は、生れても殺してしまった。

中国の人々は、たとえば公園で休憩していたり、町筋などをプラプラ歩いているときには、神経のチカチカした日本人には、なんとなく愚昧な感じを与えるかもしれない。インドの貧民たちが、ちょいと見には哲学者みたいに見えることの逆みたいなものであるかもしれない。それを、生活の心配がなくなると、人はあんな工合に愚昧な表情になるか、などと解釈するということがあるかもしれない。そういうことも、事実としてあるかもしれないし、ないかもしれない。けれども、そういうとき、私は自分の過去の経験のなかから、中国の下層階級の人々の険しい表情を思い出さざるをえない。ここでは、私個人のそれではなくて、パール・バックの『大地』の一節を訳しておこう。

「休憩しているときの彼等の表情は、怒りでひきつっているかに見えた。けれども怒っているのではなかったのだ。ひどい労働の長年月が、彼らの上唇をねじまげてしまい、歯をむき出しにし、険しい感じで口をあけているかのような風に見せるのであった。この労働は、彼らの眼のまわりや口許に、深い皺をえぐりつけてしまった。自分がどんな風な顔つきをしているかなどということを彼らは考えたこともなかった。そんな連中の一人が、あるとき通りすぎて行った引越し荷物のなかの鏡にうつった自分の顔を見て、『汚いやつだな!』と云った。まわりの連中がわっと笑い出すと、彼は、連中がなんで笑っているのかわからないままに、羞しそうに微笑をした。」……

女性の解放について——新しい婚姻法は、これこそは他のものとならんでではあるが、中国の伝統的社会を根本からひっくりかえすようなものであったろう。

農村はいうに及ばず、重慶の火力発電廠にも、武漢の、建設中の工作機械製造工場(武漢重型機床廠)でも女性がたいへんな機械を相手にして、ゆったりと働いていた。北京から上海へ下る列車の列車長は、二十代の女性であった。成都から重慶への列車の、車内勤務員は、ことごとく若い二十代の女性であった。托児所が出来ているから、結婚したらやめなければならぬということはない。北京飯店の食堂には、大きなお腹をかかえて、ユッサリユッサリとテーブルのあいだを歩いて行くウェイトレスが二人もいた。

下層の人々は、とにかく結婚出来るようになった。托児所も教育施設も、まだまだ完備というには程遠い。けれども、八年の成果としてはそれはおどろくべきであり、人々は未来をさしのぞむことが出来る。

しかし中国は、やがて人口問題について頭をかかえなければならなくなるであろう。既にそれは為政者にとって重大な課題になりつつある。薬屋で、私は「健楽蜜」と称せられる産児制限用のゼリーをみつけ、そのモノと名前を知ったとき、思わず笑い出してしまった。けれども為政者にとっては笑いごとではないだろう。

町々、村々において、悪代官、悪奉行にもまさる圧制から解放されたものは、人間だけではない。自然もまた。そしてこの自然資源の中国人民への解放は、教育、特に科学教育の普及と相俟《あいま》って、これは恐らく、近い将来において巨大な意味をもつようになるであろう。それは遠からぬ未来において、世界の経済的バランスを一変させるほどのものになるかもしれない。地質学を学びたいという青少年が多いことは、それだけでも大きな意味をもつ。

かつて私は成都出身の青年を一人知っていた。無智な私があるとき、成都なら新疆省やチベットが近いな、と言ったことがあったが、そのとき彼は、当然なことながら、言下にバカをいえ、と言い、そんなところ行ったら死んでしまうよ、と答えたことがある。しかし、解放後、重慶成都間に鉄道が出来、「中国青年号」という名の、中国出来の機関車がそこを走っていたが——成都からチベットのラサのもっと先の方まで、既に公路が出来、トラックも行くようになった。死ぬようなところではなく、朝晩は毛皮を着なければならないが、日中はとてもあたたかくて気持がいいところであるということが、あらためて発見された。

この国の現状は、ある意味ではアメリカの一八八〇、九〇年代に似ている、と私に思われた。アメリカのその頃のことは、ものの本でしか知らないのだが……。彼等は、たとえば西北地区の蘭州を中心に、新しい〝カリフォルニア〟を築こうとしている……。

基本建設・未来・歴史

北京の西北郊外に、文教地区がある。ここには、見渡すかぎり、各種の学校、大学、寄宿舎、病院などが広大な地域に建ちならび、また、続々と建設中である。また、私は成都に行って、大学生が大学を建てている光景を見ておどろいた。成都には、四川大学があるが、これもまたたいへんな勢いで拡大建設中である。これらの教育機関の水準は、あるいはまだまだ低いものであるかもしれない。日本から行った物理学代表団の報告には、たしか二十年くらいは遅れているという一節があったように思う。けれども、その圧倒的な量と、学問に対する熱意と祖国建設に対するそれがぴたりと一致していて、そこから発して来る熱気には、たしかに人を打つものがある。

大学生たちが自ら煉瓦を運んで大学を建てる——私は、煉瓦焼き場から現場まで続いている無数の荷車の列を眺めて、ふと、解放以前の、田漢作詞になる義勇軍進行曲、いまの、解放以后の、中華人民共和国の国歌の一節を思い出した。それは、起来、不願做奴隷的人們、把我們的血肉、築成我們新的長城（起て、奴隷になりたくない人々よ、我らの血肉をもって新しい万里の長城を築こう）——という歌詞をもっている。

まったく、そして文字通り、彼等は新たなる万里の長城を築成しているのである。現実に見る万里の長城は、石と煉瓦で出来ていた。そして彼らの大学も工場も寄宿舎も病院も、ほとんどぜんぶ煉瓦でつくられ、それを築成するために熱っぽく働いている人々の数もまた、決して万里の長城を築成するために奴隷労働をさせられた人の数に劣るものではないであろう。武漢の長江大橋を架けるために働いた人、全国的規模にわたる道路建設や、灌漑水利のために働いた人、植林、西北開発、その他もろもろの基本建設のために働いた人、現に働きつづけている人々の数は、万里の長城築成時の労働人口を、ずっと上廻っているに違いない。彼らは、竹の足場、モッコなどの古代的方法によって、最も新しいオートメーション工場をつくっている。都市建設もまた大規模に進められている。重慶市などは、その大部分が新都市といっていいものだ、と聞いた。

おそらく、これらの基本建設事業は、はじめはアンペラの飯場から出発し、工場、大学、寄宿舎、病院、娯楽場などは計画的に、同時に建設されはじめ、工場が少しでも出来れば部分操業し、寄宿舎が出来次第そこに入り、労働者の教育をはじめるという順序で行われるものであろう。現に、建設最中の、武漢の工作機械製造工場がそうであった。この工場に来ていた機械類は、中国の実にいろいろなところから集まって来ている。瀋陽、天津、北京、成都、上海、重慶、済南等々。そのための資金はどこから来るか。

それを知るにはあまりにも私は財政というものについての知識を欠いている。しかし六億の人民が一元ずつ節約し、六億の公債が買われたら何が出来るか。社会主義経済とは、すこぶる風通しのよいものであるらしい。六億あれば、二千トンの汽船が一五〇隻出来る。年産六〇万トンの鋼鉄製作所一つが出来る。十二学級をもつ中学校が二、五〇〇出来る。八万錘をもつ紡績工場が二〇出来る。そういうポスターを私たちは方々で見た。

科学技術について——大都市の目抜きの大通りには、どこにも大きな新華書店ががんばっていた。そのうち、北京と上海の新華書店の科学技術書を売っている部門の店へ入ってみて私は、なるほど、と思った。ノコギリのメタテを如何にしてやるか、というＡＢＣＤのところから、幾段階にもわかれて、最高は電子工学、原子能（原子力）段階までが、見事に整理された叢書になってずらりと並んでいた。社会主義は文学芸術などよりも、自然科学の進歩にとってより有利な体制のように私には見受けられた。

私たちが中国にいたあいだに、ソヴェトは第二人工衛星をうちあげた。中国の学校や町の広場には、人工衛星について、左からずっと眺めて行くと大体のことは頭に入るようになっている壁新聞式の解説がところどころにあった。人々はたかってそれを見ている。しかし、誰もそれについて騒いだりはしない。関心がないのではない、が、彼らにとっては恐らく一日一日の、一日働けばそれだけ進歩し発展する基本建設の方が重要なのだ。この調子で三十年たったなら、この地大物博、人また多いこの国は、〝アメリカ〟になりはしないか。

基本建設の、その方法がいまのところ古代的であろうがなんであろうが、それによって最も新しい、最も現代的な施設が出来てしまえば、それが現実に出来さえすれば、その環境がなお古代的であろうがなんであろうが、それはもう現代なのだ。かつてアメリカも欧州に比べては広大な後進国にすぎなかった。

アメリカとソヴェトという巨大国家は、ヨーロッパ的な意味では、近代という、この二つの国にくらべれば、いまではおそらく〝中間的〟ということになるであろう時期をもたなかった。アメリカもソヴェトも、広大な土地に、おのおの革命後に、そのときどきの最新、最現代的な技術をとり入れて近代をとびこして現代を建設した。革命後のソヴェトに、数多くのアメリカ人技師がいて、この後進国ロシアを現代化するために、その多くは献身的に働いたことを報告している文書はいくらもある。フォード工場は、ある時期のソヴェトの理想にちかかった。いま、中国はソヴェトの指導をうけ、この二つの国の後を追っている。技術というものは、新しくなればなるほど、操作がやさしくなって行く筈のものであると思われる。

歴史は大きく変りつつあるのだと思われる。二十世紀は欧州的な意味、乃至《ないし》近代という観点から見た場合、アメリカとソヴェトを先頭とする後進諸国が巨大な歩調で現代化し、未来化して行く、その舞台になっているようである。そこに、まったく別個な現代のイメージが生れつつあることはたしかである。

後進国が何千年来のエネルギーと、何千年来の古代的方法を（はじめのあいだは）用いて、現代化して行く。かつて私はインドに行ったとき、数千年来の遺物や遺跡がゴロゴロしているのを眺めて、つくづく考え込んだことであった。それはたしかにすばらしい遺産である。しかし、それは、要するにそういうものがただそこにゴロゴロ存在しているにすぎないということではないか、もしそこからエネルギーをひき出し、それを現代化、民衆の仕合せのための基本建設に役立てることが出来なかったら……。

　長江にわたされた武漢の「長江大橋」を見たとき、私はそこに歴史を見た、と思った。いかに長大なものであろうとも、それは要するにソヴェトから青写真をもらってつくったタダの橋ではないか、歴史などという御大層なものではない、といわれるであろうと思う。それはその通りだ。

　けれども考えてみよう。長江は何万年だか何千万年だか、人類が発生する以前から流れていただろう。中国人民がそこに住むようになってからも流れていた。そして歴史というものが考えつかれてからも、何千年か流れていた。その間、誰も橋をかけることが出来なかった。それは不可能だったのだ。没有法子《メイヨウファッ》（仕方がない）、没有弁法《メイヨウバンファ》（手が出ない）ものだった。それが、有法子《ヨウファッ》であり有弁法《ヨウバンファ》になったとなれば、それは没有法子、没有弁法哲学の全否定である。その否定を誰が可能にしたか。人民自体である。そういう否定、そういう現実をこそ私は歴史と呼びたい。それは、逆に云えば、否定、消極というかたちで蓄積されて来た民族のエネルギーが、現代をテコにして積極的に発揮されて、その橋は、長江の南岸北岸をつないだだけではなくて、それはむしろ未来に対して架橋したものとなる。中国やソヴェトの基本建設、自然改造は、人民自体にとって哲学的な意味をもつ。後進国においては、自らの後進性こそが、むしろ特権であり、武器であるのだ、という現実認識が民族のバネになる。従って、今日、これらの国々においては、その国の存在は、また歴史のリアリティは、過去の遺産によってであるよりも、むしろ未来によって保障されているというかたちをとる。武漢の工場で、私は「基本建設百年大計、提高安全与品質」というポスターを見、百年か、おいおいホントかい、と言いたくなったが、彼らは百年を、それをやるだろう。事実として平和が必要な所以《ゆえん》である。

はじめに、私は、解放と中華人民共和国成立についての基礎となった現実認識について、二つの要因をあげてみた。惨勝という現実認識、それにもうひとつ、ハーレー大使の表現によれば、中国共産党には、「彼等の目的は中国で必要とし、かつ正しい改革を行おうとするにあること」についてのゆるぎない現実認識があった、と言った。しかし、これは数多い要因のうちの、ただの二つにすぎない。そして、この二つについても、私は、それは、中間的な出発点にすぎない、とことわって来た。私自身、かつてこの二つを、根本的、基本的な出発点であると思い込んでいたのであるが、それを今回の旅によって修正しなければならなかった。

重慶と成都の博物館にあった紅軍についての種々な歴史的物品を見ることによって、そして最終的には、広州のかつて一九二〇年代に毛沢東が指導していた農民運動講習所で、江西省の瑞金、井崗山に中国共産党がソヴェトをつくっていたとき（一九二八年）の、そのときに現実に使用されていた小学校の教科書を見るにおよんで、修正された。すなわち、彼等はその出発の当初からして、既に小学校の教科書をもち、従って小学生をもち、憲法草案をもち、紙幣をもち、独自の経済政策、少数民族政策、農民解放運動を現実に実施していたのだ。そういうことを、知識としては私も知っていた。けれども、それらのものを実際に見、その教科書をとりよせて読み、やはり私はうたれた。この国の革命は、老若の農民と革命的知識階級だけではなくて、小学生をもその数のなかにもっていた。いいかえれば、紅軍の有名な西遷二万五千里の長征は、これは単に軍隊の移動ではなくて、それは一政府、一国家の移動、拡大であり、解放《チエファン》そのものの移動拡充であった。中国の社会主義革命は、ロシア式の「権力の奪取」というものとは、質が違うと思われた。その途上にあっては、「中間階級を掌握しきれない」ことに悩み抜いた時期もあった。またたとえば次のような「深深感覚寂寞」の時期もあった。

「われわれは、一年このかた、各地を転戦してみて、全国的な革命の波が退潮したことを深く感じている。一方には、少数の赤色政権はあるが、他方では、全国人民が、まだ一般的な民主主義的権利さえももたず、労働者農民ないしブルジョア民主主義者がおなじように言論・集会の権利をもたず、共産党に加入することは最大の犯罪になっている。どこにいってみても、大衆は赤軍によそよそしくしている。（中略）敵軍と戦うにしても、どの軍隊ともむずかしい戦いをしなければならぬのがつねで、敵軍の内部に、内乱がおこったり、暴動がおこったりすることはない。（中略）われわれは寂しさを感じる。われわれはこのような寂しい生活が終ることを、一ときも望まないことはない。……」（毛沢東「井崗山の闘争」一九二八・十一）

それは、長い長い時間をかけた人民解放の道であった。中華人民共和国という国名と構想は、すでに一九三五年に定立している（毛沢東「日本帝国主義反対の戦術について」一九三五・十二）。それはたしかに、「わが人民共和国は、革命根拠地からしだいに発展してきたもので、突然うちたてられたものではなく」（毛沢東「人民内部の矛盾を正しく処理する問題について」一九五七・二）、「長い革命闘争の中できたえられて」（同）、一九四九年十月一日に、全国解放完成をみたわけであった。

突飛な言い方であることは私も承知であるが、毛沢東が重慶へ乗り込んだとき、

倶往矣、数風流人物、還看今朝。

倶《とも》に往きぬ、数《いくばくの》風流人物、還《なお》今朝を看るや。

という詞をつくった。その気持のなかに、現実の闘争を越えて、天壇にぬかずいて天を拝し、中国の人民と自然の解放のために天に祈った古代人の心持があったか、なかったか、そういうことを想像させるなにかが、ある。私には、毛沢東という人が、現代人であることはいうまでもないことながら、また痛烈な伝統否定者であると同時に、古い古い中国の歴史を身体のなかにもつ、古びることのない古代人のように思われることがある。「実践論」（一九三七・七）のなかの、「ある考え、理論、計画、方策にもとづいて、客観的現実の変革にたずさわる実践も、そのたびごとに前進するし、客観的現実についての人間の認識も、そのたびごとにふかまってゆく。客観的現実世界の変化の運動は永遠におわることがなく、人びとの実践における真理の認識も永遠におわることがない。マルクス・レーニン主義は、けっして真理に結末をつけるものではなく、実践のなかで、たえず真理を認識する道をきりひらいてゆくのである」などという節は、私に深い深呼吸を一つさせる。悲哀とか無常とかいったことのかけっぱしもない、中国の大地のような永遠、悠久という、大地と歴史そのもののようなる落着いた、大河のような思想がそこにある、と感じさせる。

私は今回中国を旅して、革命解放が、同時に中国の悠久な歴史への復帰という面を、広く強くもっている、と感じて来た。毛沢東の詞「雪」にある、秦皇、漢武、唐宗、宋祖などの歴代王朝の歴史のなかに現在の中華人民共和国をおいてみるとするならば、それは、人民王朝時代とでもいうべきものであろうか。

解説——中国を経験する

大江　健三郎

あらためて本書を開くまえに、中国について日本人が、戦後に書いた、もっとも美しい本のひとつがこれだと、ぼくは書こうと考えて、そして幾たびめかの通読をはじめたのであった。しかし、いったんその活字のむこうの世界にはいりこむと、ほとんど愕然とするようにして、この酸鼻をきわめる事実と苦渋にみちた省察を、「美しい」と表現しようとしていた自分の、やわさかげんを思い知らされたのである。しかもなお、いったん通読しおわって、この本の血しぶきからいくらか遠ざかると、やはり「美しい」という言葉はよみがえってきた。それは、ぼくがこの本にはじめて接した時の、ぼくの感慨が、なお生きているということでもあろう。ぼくは自分が根源的なところで影響をうけた書物のひとつとして本書をあげなければならないが、いっとうはじめにこの本を読んだとき、ぼくはその美しさにもっともひきつけられたのであった。それは、その美しさがもっともやさしいコミュニケイションの側面に属していたということでもあろう。しかし、毛沢東の詞『雪』の美しさについて著者ののべるところを、十全にというのではないまでも、いかにもこの緊張して、裕々とかつ危険なところにつきでたバランスをたもって、豊かで鋭い詩的力関係を提示している詞の美事さに自分なりの認識をえて、確かにそのとおりだと感じ、著者の言葉をかりるならば「深い深呼吸を一つ」また、ふたつ、みっつしたのは、今度の読みかえしにおいてはじめてである。

本書を再読し、またあらためて読むたびに、それはぼくが年齢をくわえ、またいくらかなりと経験をかさねる、ということによってでもあるが、ぼくはそのたびごとに新しい感じとりかたをしてきた。その内容はかなり明瞭に思いおこすことができる。したがって、ぼくが自分の年齢と経験につれて、このコンパクトな、しかし多様性にみちたものをぎっしりつめこんだ書物を、どのように発見し、再発見し、あらためて発見しつづけてきたかを語ってゆくことにしよう。しだいにあきらかにしてゆけることをねがうのであるが、単に読者の側にとどまらず、本書は、著者にかかわってもまた、「年齢と経験」ということを、様ざまなかたちで考えさせる書物である。

最初にこの本を読んだとき、ぼくは二十四歳であった、そしてなんという美しさかと感銘を受けながら傍線をひいた部分は、もうすでにいくたびか人に語り、自分の文章のうちにも書きうつしてきたので、本のどこにそれがあってぼくを待ちうけているかは、一種の確かなサスペンスのような感覚において、再読するぼくに予期され、そしてつねにぼくを新しい感動でみたす。もっとも、その感動の内容は、やはり少しずつ複雑になった。

一九四五年の、「三月十日の東京大空襲後」に、まことに正当に傍観者から冷たく批評されたとおり「日本との梯子がはずされるのをわかっていて行く」ようにして、堀田善衞青年は、上海にわたった。そして一週間目かそこいらに、青年はひとつの体験をする。この体験の仕方に、すでに、かれが上海の戦中・戦後の全体をどのように体験するにいたるかの、その原型があきらかである。それは次の引用によってただちに納得してもらえるはずの明瞭な構造をそなえた原型なのであるが、ひとつの状況に出くわすと、この青年は、われとわが身をそこにまきこましめる、というかたちでそれを体験するのである。しかも、一九四五年に上海にわたるということ自体がすでにさだかにしているのであるけれども、この青年は、充分に意識化されているというより、一種の本能（それをぼくは、一種の倫理的本能とさえ呼びたいが、それだけでぼくの意味するところのことを了解してもらえる少数の人たちもいよう）によって、そのような状況に、なんとか立ちあわねばならぬと感じており、すばやく歩きまわってひとつの状況に出くわすと、もう決してそれを迂回したり、そこから後退したりはしないのである。いわゆる漢奸の死刑を見るいきさつを語った文章もあわせ引用するが、日本人がひとりでもそれを見ていた方がいいであろう、という青年の考え方を、ぼくは一種の本能にもとづくと（それもできれば、倫理的本能という、多数者の誤解をもまた招きかねない言葉で）呼びたいのである。

《あるアパートメントから、洋装の、白いかぶりものに白いふぁーっとした例の花嫁衣裳を着た中国人の花嫁が出て来て、見送りの人々と別れを惜しんでいた。自動車が待っていた。私は、それを通りの向い側から見ていた。すると、そのアパートの曲り角から、公用という腕章をつけた日本兵が三人やって来た。そのうちの一人が、つと、見送りの人々のなかに割って入って、この花嫁の、白いかぶりものをひんめくり、歯をむき出して何かを言いながら太い指で彼女の頬を二三度ついた。やがて彼のカーキ色の軍服をまとった腕は下方へさがって行って、胸と下腹部を……。私はすっと血の気がひいて行くのを感じ、よろよろと自分が通りを横断していると覚えた。腕力などというものがまったくないくせに、人一倍無謀な私は、その兵隊につっかかり、撲り倒され蹴りつけられ、頬骨をいやというほどコンクリートにうちつけられた。

私は元来のろくさい男だ。ものごとがわかるについても、ぱっとわかるという具合には行かない。のろのろとしかわからない。そのくせ、あるいは、だから、自分でわかったと思うことを過信する傾きもないではない。撲り倒され蹴りつけられて、やっと、あるいは次第次第に、〝皇軍〟の一部が現実に、この中国でどういうことをやっているかを私は現実に諒解して行った。倒されたまま私はなかなか起き上ることが出来なかった。上海に来る前に、私は肋膜を病み、その旧患部を——兵隊たちはゴム足袋をはいていたが——蹴られたこともあった。その場の中国人たちが花嫁ともどもに私を助け起してくれて、アパートの一室へつれ込んでくれた。

あのときの花嫁は、恐らく一生を通じて、あの晴れの門出のときに、かぶりものをまくりあげられ、頬をこづかれ、また乳と下腹部をまさぐられた経験を忘れないであろう、たとえあの兵隊自身にはそれほどの悪意はなかったにしても——というのが、私にとっての一つの出発点であった。》

《どうしてそういう死刑執行などを見ることになったたか。その当時、漢奸や日本人戦犯の処刑は、屢々公開されていた。残酷で野蛮な話であるが、それがそうだったのである。処刑時間のしばらく以前から、偶然に私はその場にいあわせ、そこへ護送車と群衆がわあっと乗り込んで来て、動きがとれなくなったということもあるが、また私には、日本の政治、戦争に協力した中国人の死を、日本人のうち、誰かひとりでも見てこれを、いかにその方法が残酷無慙なものであろうとも、とにかくそれを見た人がひとりでもいた方がいいであろう、と思い、嘔きたくなるのを我慢し大量の汗を流して、群衆のたちこめる濛々たる埃のなかに立っていたのであった。》

はじめてこの本に接したぼくが、美しさとして、まことに純潔な意志につらぬかれた美しさとして深く感銘を受けたのは、右のような部分に端的にあらわれているところの、つねに状況に立ちあわねばならぬと感じており、いったん立ちあう場合には、その状況の真正面から、もっとも典型的なかたちで、それに立ちあおうとする青年の肉体と魂をかりたてているものの美しさであった。

事実ぼくは、青年が中国人の友達のために薬をとりにゆくべく、上海にはりめぐらされている《戒厳機関系統の、どの一つの蜘蛛の巣にひっかかっても、もうおしまい》であるところの、死をかけての冒険を、とくに冒険とも感じないで深夜の街に出て行く部分を、美しいと考えた。ぼくはこの青年の無鉄砲ともなんともいいようのない冒険に、かれをかりたてるもの、それをぼくは誤解を危惧しつつ、倫理的な本能と呼んだわけであるが、現在のぼくより十年若いところのぼくは、一種の羨望と畏怖の念をいだいて、この深夜の上海の街に出て行く青年に感銘をうけ、かれをかりたてた本能を、自分もまた確実に把握することができると感じたのである。

やがて中国に客死することになる室伏クララという女性と共に（この著者はかれの生涯と交錯する軌跡をのこして不慮の死をとげた者たちのための肖像を、それこそ硬い金属にきざむようにして書きのこすことに特別な、うやうやしい熱情をそそぐ人である）いわゆる日支親善や日華合作の犠牲となった若い文学者の家族をひそかに見まいにゆく、といった箇所にもまた、ぼくはほかならぬまっすぐな美しさを見出した。それは、いうまでもなくそういう行為が、どこから見ても美談であるから美しい、というような意味あいでは毛頭ない。捕まれば、漢奸幇助罪になるにちがいないとわかっていながら、あえて出かけて行く、上海の日本人青年を内部からかりたてているものを美しいと感じ、たまたまこの箇所に、「私自身は二十七歳」とあるのを見て、畏敬の念をあらたにしたのである。この感情はやがて、ぼく自身が、この上海の危険な深夜を緊張して歩いて行く青年よりも、いつのまにか年上になってしまってから、いわば痛ましさとでもいう感覚をもまたふくんで、いくらか複雑化することになった。しかしいまなお、そこに純一な、ほとんど眼をそむけたくなるほどに純一な美しさを見出して、動揺しないではいられぬことにかわりはない。ぼくはいま、かつて十年前の自分が、この青年を内部からかりたてている本能はこういうものなんだと、その共鳴震動のごときものを自分の内部にもひきおこすようにして読んだ部分を、よくもまたこの青年はかくのごとき無鉄砲さで辛くも生き延びえたものだと、ほっと安堵し、かつ、やれやれなんと危険な若者であることか、と握った掌に汗が冷えはじめると同時に表面に出てくる重い疲労感をあじわうような気持でもまた、読み終えていることに気がつく。しかしそこに青春の痛ましく鋭い火花の一閃を見るように美しさを感じとっていることには、繰りかえすことになるが今もなお変りはないのである。

さてぼく自身が、中国を旅行するということがあって、その旅行中から、帰国後にかけて、自分がなんという無邪気な旅行者であったかと、冷水をかぶせられるように追想することがはじまってから、ぼくにとって、この本は、次の段階にすすんだ喚起力を持つようになった。それをあらかじめもっとも単純にいえば、著者が、中国と日本とはちがうのだと、中国人と日本人とは、まことに眼もくらむほどの深淵をへだてているところの、およそ異なったふたつの民族なのだといいつづけているところに、ぼくが縛りつけられたようになる、というかたちの新しい喚起力である。いわゆる「人生観の変化」というようなことを通俗誌に見出してはそのたびに辟易するが、じつはぼくにもしだいに切実に重くなるこの「人生観の変化」ということがあったとすれば、中国および中国人にたいしての右のような認識の萌芽が、ぼくのうちにあらわれたことにかかわっていると感じる。それはすなわち、日本および日本人とはなにか、という認識につうじているのであるが、ぼくはこの本を再読することによって、自分なりのその認識の萌芽の育成のために、多くをえたのである。それはまた、本書が、ぼくにとって単に美しい本であるのみでなく、苦渋のあじわいをもひそめた本でもまたあることになる始まりでもあった。

まことに繰りかえし著者は本書において、野に叫ぶ人のようにも、中国および中国人と、日本および日本人との違いということを主張してやまない。それは悲痛な響きをそなえた声で、また畏怖の感情のあらわな声で、そして、呆然とした若さと素直さの矛盾せず共存している笑いのまじっているような声でもまたおこなわれる。怒りと憎悪のこもった声においてであることもあるが、その声はおもに、大東亜共栄圏というような構想のうちにアジアの人々を多くまきこんで、いったん敗戦の時には、それらの人々にたいして頬かぶりをしてしまうところの、天皇制国家たる日本および日本人にむけられるのである。そしてこれはいまなお、一切解決のついていない課題であって、ぼくはしばしばそれを本書においていっそう重い主題とみなしている自分を見出す。

具体的に著者の語り口を示せば次のようである。《中国戦線は、点と線だというけれど、点と線どころか、こりゃ日本は、とにかく根本的にぜーんぶ間違っているんじゃないかな。この広い、無限永遠な中国とその人民を、とにもかくにも日本から海を越えて

やって来て、あの天皇なんてものでもって支配出来るなどと考えるというのは、そもそも哲学的に、第一間違いではないかな。》

《同文同種などという虚妄のスローガンに迷わされてはならない。中国は外国なのであり、中国人民は、外国人なのだ。》

《現代中国の近代史叙述が、革命の成功ということもあるであろうけれども、被害者意識というものと完全に切れていて、大旨、攻撃的であるということを私は理解することが出来る。また、毛沢東の著述の何処にも、その長いあいだにわたる苦闘、弾圧、包囲にもかかわらず、被害者意識は皆無である。そのことと、「中国の文学者は、何と無理矢理な他人の手で生命を奪われる人の多かったことか」という、黎波氏の提言とは、底の方で、徹底的なところでかかわりがあるのだ、と私は思う。少し、無理を押して飛躍して言うならば、そこのところに、中国近代史の、猛々しい本体のようなものがあると感じる。》

《私は専門家でもなんでもないので、日本文学と中国文学、日本の文学者と中国の文学者との違い方について、正確詳細なことはなにも言えない。がしかし、私は、文学としての普遍性、理解可能性を先に立てて行くよりも、むしろ逆に、いかにそれが理解しがたいか、その異質性、断絶がいかに深刻なものであるか、安易に、ああお隣りの中国の文学か、などという態度ではそれがまったくお座なりの理解にしかならないということ、そういう点から出発して行った方がよいのではないか、とひそかに考えているということをつけ加えておきたい。》

さてこのように中国と日本との根源的な違いということを掘りすすめて行って、著者がその次におこなうことは、その二つの異民族が、どのようにその深淵をこえて交流しあってきたかの反省であり、それがこれからどのようなかたちと本質においておこなわれてゆかなければならないかの切実な考察である。

《日本と中国との、歴史的な、また未来における、そのかかわりあい方というものは、単に国際問題などというよそよそしい、外在的なものではなくて、それは国内問題、というより、われわれ一人一人の、内心の、内在的な問題であると私は考えている。われわれの文化自体の歴史、いやむかしむかしからの歴史そのものでさえあるであろう。そうして、内在的な問題というものは、問題と称されるさまざまのものやことのなかでも、結局のところ、もっとも攻撃的な性格をもっているものであった。》

《異民族交渉というものは、行動的なものであり、従って徹底的なものであるからこそ、それは文化の中核になりうるのである。徹底的なものでないならば、それは影響という、得体の知れぬ、切りつけられても生きも死にもせぬ、薄皮くらいのことに止まってしま

う。日本と中国とのそれは、言うまでもなく前者である。》

本書において著者が魯迅について語る言葉は、《魯迅と日本、魯迅がもった異民族交渉というものもまた、実に徹底的なものであった》ということを核にしながらである。事実、著者がこの本を書き、またその活字において語ったところのことを現実にかれの肉体と魂の行動において証明しつづけていることもまた、右にひいた考え方を端的に次のような言葉に集約して、その上に積みあげての作業にほかならないであろう。

《お互いに、忘れることが出来るものならば、それを学ぶことが出来るものならば、学びたいものだ。私とて、いやなことは口にしたくない、書きたくもない。むしろほんとうは、深く黙り込んでいたいのだ。しかしまた、それを忘れぬという、その辛さが、日本と中国とのまじわりの根本なのだ。われわれの握手の、掌と掌のあいだには血が滲んでいる。》

さてぼくは自分がこの本から持続的に受けてきた感銘を時をおって書きすすめようとしたわけだが、このように引用しつつ語っていると、ついにはすべての文章を書きうつしてしまうことになりかねない。事実、この本は、要約するより直接に引用したいという気持をさそう、緊張した独自のスタイルでつらぬかれていることにおいて、著者のエッセイの数かずのうち、もっとも秀れたもののひとつであろうと思う。秀れたというより、むしろそれをすら超えたところの、すなわち著者が《中国、と二字を書いただけでも、大袈裟なといわれるであろうと思うけれども、何かが身内に湧きたって来るのを感じるからだ》という赤裸な言葉をつい記してしまうほどにも、まことに率直にかれ自身を語ってとどまるところのない文章は、たとえこの著者がひるまぬ率直さをその文章の個性のひとつに数えるべきところの独特なエッセイストであると考えてみるにしても、同じ著者によっておそらく二度とは書かれえないたぐいの文章であるからであろう。

　そこで、現在あらためてこの本を読みかえすぼくをとらえるところのことについては、簡略に書き記すべくつとめたいが、それでもやはりぼくがいま新しい衝撃のように感じとって、それをきっかけにより深く考えすすめたいと思うところの要素については書きおとすわけにゆかない。事実、この本はつねにそのような新しい喚起力をともなってぼくのまえにみずみずしく現前しているのである。

　さてそれは「惨勝」という言葉のつたえる響きによって統一されるところの様ざまな事実の提示にかかわっているのであるが、その焦点はこの書物の書かれた一九五九年の時点において、著者がまことに端的に、一九四四年九月の駐ソ米国大使ハリマン、ネルソン、駐華米国大使ハーレーが、ソ連外相モロトフとおこなった会談の意味あいを、むきだしに提示していることである。

一、いわゆる中国共産党は実際は共産主義者でもなんでもない。
二、ソ連政府は中国共産党を援助していない。
三、ソ連は中国の対立または内戦を希望しない。

これに加えてハーレー大使の解釈覚え書をつきつけられて《中国共産党とソヴェトとの関係においては、また中国の知識階級とソヴェトの対華政策との関連においては、そこに一九三九年の独ソ協定が、ヨーロッパの、特にフランスの知識人たちに与えたと同じくらいの、衝撃的な事件があった。といえば、眼をむく人があるかもしれない》と著者に語りかけられる時、今日の中ソ関係のあまりにもあからさまな照明によって、われわれが眼をむく、そのむきかたは、この文章がはじめて発表された当時とはおよそ逆の方向においてであるはずである。著者が、まことに胸苦しくなるほどにも詳細に記録する国民政府の特務の跳梁、「惨勝」のあとの援助物資の洪水のなかにおける上海の民衆の悲惨、そしてそこに決して国府側ではない、反・毛沢東派のビラをもまた先ぶれにしてあらわれる、解放軍の本質的にして多面的な真の意味あいというものを、ぼくはあらためて正面から受けとめつつ今日の現実につないで考える糸口をあたえられているのである。そしてぼくは、ソ連の希望しない内戦を、戦いぬきつつ詞『雪』の抱懐するところのものをいだいて進んでゆく毛沢東と解放軍の、そのなんとも表現しようのない、おそるべき存在そのものの前で、深く重い深呼吸をすることにおいてそっくりそのまま著者のやりかたにしたがうほかには、感慨のあらわしようも見つからぬというほかにないのである。

最後に、本書の構成と展開の緊密さ、しかもその自由な闊がりについていささかの感想をのべて、この個人的な読書体験の告白に終始した文章に、いくらかなりと解説としての体裁をつけようと思う。

十年ぶりに、解放後の中国を訪れ、しかも自分の青春をそこに杙のようにうちこんだ上海に場所をかぎって、重い決定的な十年をはさんで対峙するかのごとき二つの上海のあいだを飛びかう想像力の展開は、まさに自由な書きぶりながらも間断するところがない。『惨勝・解放・基本建設』の章にいたって散文のスタイルはいくらか変り、すでにのべられたところのことも再びあらわれるが、それは重複というより、楽曲でいう再現部のごとくである。それに関連させて音楽の比喩をもちいるなら、全篇のコーダは、詞『雪』の詩人にむけて昂揚しつつ収斂する過程のうちに全容をあらわす。「人民王朝時代」という言葉が、いまあらたに文化大革命をへた中国への認識にかぶせて照射するところのものの多様さと重さを感じとりうる者にとっては、このコーダがまことに正当に選びとられ綜合されたところのコーダだということをくだくだしくのべることは不要であるにちがいない。

そしてこの思想の血肉をそなえた言葉による楽曲の終ったあとの緊張した沈黙のうちに、あらためて想起されるのは、著者のしばしば繰りかえした、まだ国交恢復はなされていない、という錘りのような命題と、それをこえて《国交恢復も容易なことでないであろう。そうして、国交恢復以後も容易なことではないであろう。》という嘆きとも怒りともつかぬ情念につらぬかれ、また暗い炎のような勇猛心の所在の印象をもまた否定できぬ一行であろう。ぼくはその一行を、ほかならぬ堀田善衞氏の《血で個人の予感を書添えて》の、およそこちらのやわな奥の奥にまで深く喰いこんでくる矢につらぬかれるような感慨なしには読みすごすことのできぬ一行として自分の肉体と魂にきざみこみ、本書を閉じる。

——一九六九年秋

資料地図

1945年頃の上海
虹口公園
閘北
虹口
北四川路
呉淞路
憲兵隊本部
楊樹浦路
黄浦江
四川路
南京路
江西路
東方飯店
大世界
ジョッフル路
外灘（バンド）

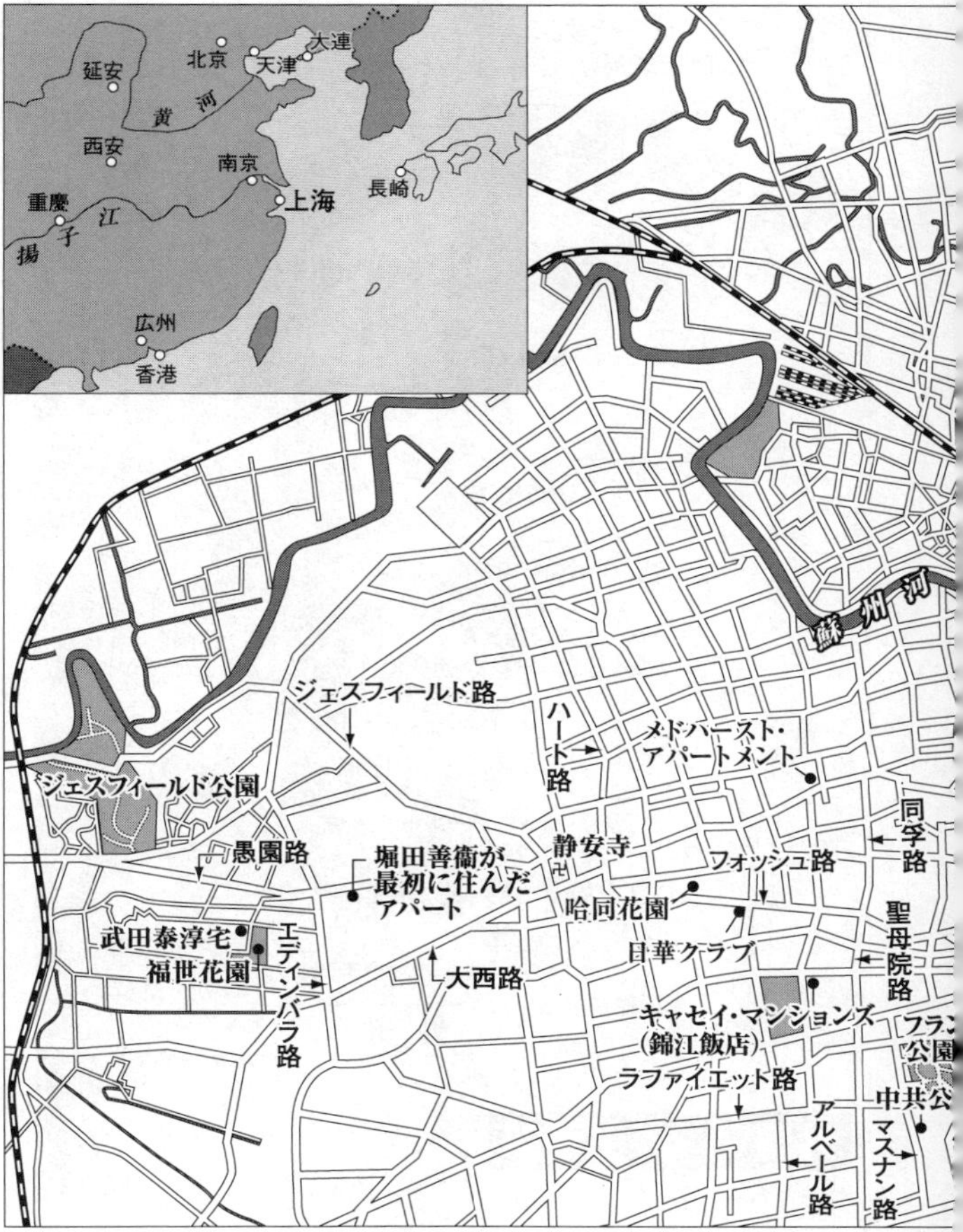
延安
北京
天津
大連
黄河
西安
南京
上海
長崎
重慶
揚子江
広州
香港
蘇州河
ジェスフィールド路
ハート路
メドハースト・アパートメント
ジェスフィールド公園
愚園路
堀田善衞が最初に住んだアパート
静安寺
フォッシュ路
同孚路
哈同花園
日華クラブ
武田泰淳宅
福世花園
エディンバラ路
大西路
聖母院路
キャセイ・マンションズ(錦江飯店)
フラン
公園
ラファイエット路
中共公
アルベール路
マスナン路

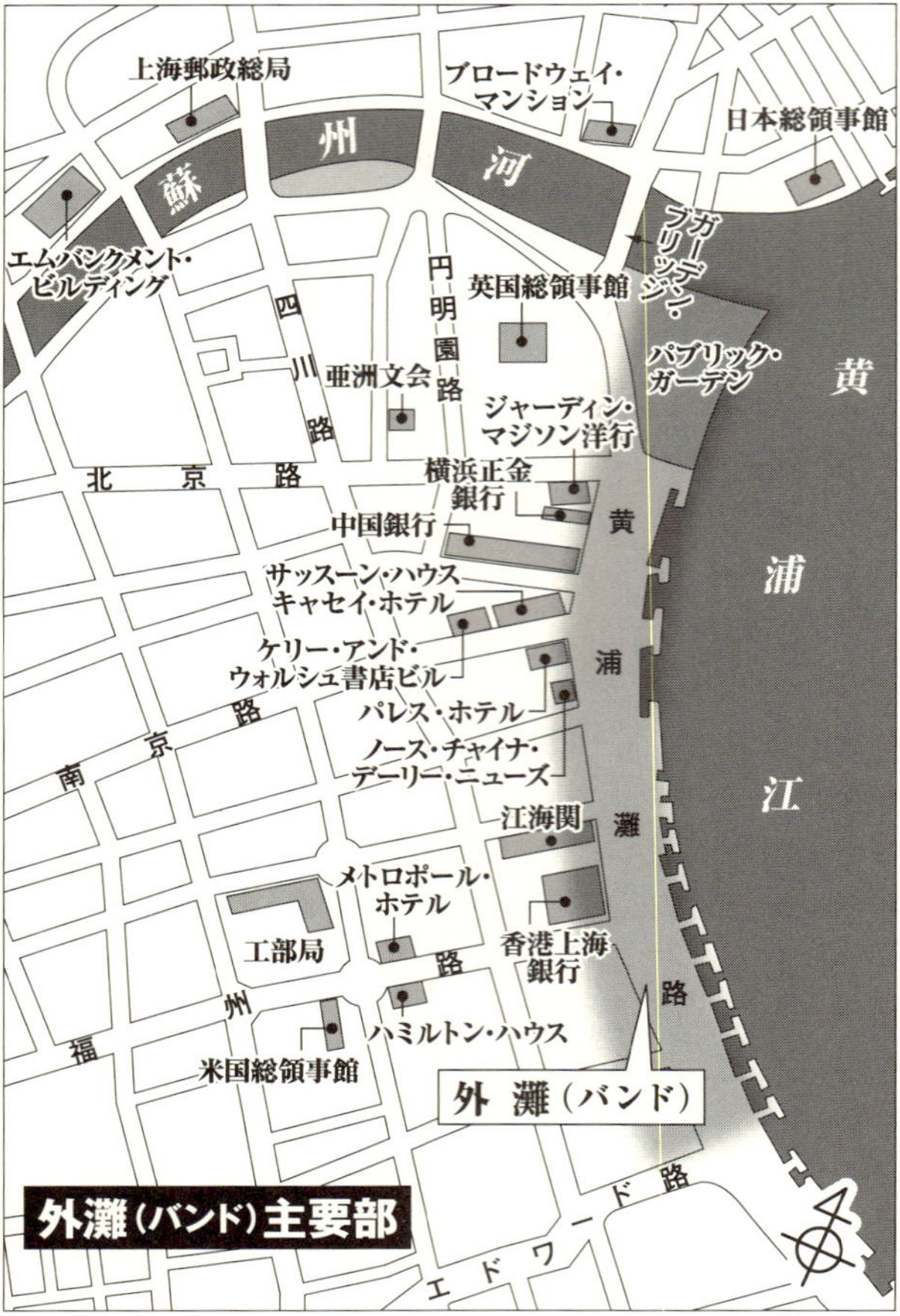
上海郵政総局
ブロードウェイ・マンション
日本総領事館
蘇州河
エムバンクメント・ビルディング
ガーデン・ブリッジ
円明園路
英国総領事館
四川路
亜洲文会
パブリック・ガーデン
黄浦江
ジャーディン・マジソン洋行
北京路
横浜正金銀行
中国銀行
黄浦灘路
サッスーン・ハウス
キャセイ・ホテル
ケリー・アンド・ウォルシュ書店ビル
パレス・ホテル
南京路
ノース・チャイナ・デーリー・ニューズ
江海関
メトロポール・ホテル
工部局
香港上海銀行
福州路
ハミルトン・ハウス
米国総領事館
外灘（バンド）
エドワード路
外灘（バンド）主要部

この作品は、一九五九年七月、筑摩書房より単行本として刊行され、一九六九年十一月、筑摩叢書版として再刊されました。解説「中国を経験する」は、筑摩叢書版に寄せられたものです。その後、一九九五年十一月、ちくま学芸文庫として刊行されました。

日本音楽著作権協会(出)許諾第0809490-904

堀田善衞の本

堀田善衞上海日記　滬上《こじょう》天下一九四五

堀田善衞没後十年。現代日本を予見する、敗戦時の日記が発見された――。魔都上海で迎えた八月、二十七歳の若き詩人は何を見たのか。戦後日本を代表する国際的文学者の青春の日々。その卓越した思想はいかにして生まれたのか。本書「上海にて」と対をなす、第一級の文学資料。

集英社単行本

堀田善衞の本

若き日の詩人たちの肖像（上・下）

雪の夜、北陸の没落した旧家から上京した少年の耳に、銃声が響きわたる……。2・26事件が起きた昭和初頭、暗い夜の時代に目覚めた青春の詩情と魂の遍歴を描いた感動の自伝長編。

堀田善衞の本

ミシェル　城館の人（全三冊）

不朽の名著「エセー」の著者モンテーニュは、どのようにして自らの精神を確立したか。暴動、虐殺、陰謀渦巻くルネサンス時代の巨人の思想と人間を描く。和辻哲郎文化賞受賞作。

集英社文庫　目録（日本文学）

集英社文庫

上海《しゃんはい》にて

2008年10月25日　第1刷
2020年1月15日　第4刷

定価はカバーに表示してあります。

著者　堀田善衛《ほったよしえ》

発行者　徳永　真

発行所　株式会社　集英社
東京都千代田区一ツ橋2-5-10　〒101-8050
電話　【編集部】03-3230-6095
【読者係】03-3230-6080
【販売部】03-3230-6393（書店専用）

印刷　大日本印刷株式会社

製本　大日本印刷株式会社

フォーマットデザイン　アリヤマデザインストア　マークデザイン　居山浩二

ISBN978-4-08-746364-4 C0195